O CENTAURO GUARDIÃO

CHRISTIAN DAVID

O CENTAURO GUARDIÃO

ilustrações LEBLU

2ª impressão

PANDA BOOKS

Texto © Christian David
Ilustrações © Leblu

Diretor editorial
Marcelo Duarte

Diretora comercial
Patth Pachas

Diretora de projetos especiais
Tatiana Fulas

Coordenadora editorial
Vanessa Sayuri Sawada

Assistente editorial
Olívia Tavares

Projeto gráfico e diagramação
Vanessa Sayuri Sawada

Preparação
Silvana Salerno

Impressão
Gráfica Santa Marta

CIP — BRASIL. CATALOGAÇÃO NA PUBLICAÇÃO
SINDICATO NACIONAL DOS EDITORES DE LIVROS, RJ

David, Christian
O Centauro Guardião / Christian David; ilustração Leblu.
— 1. ed. — São Paulo: Panda Books, 2017. 248 pp.

ISBN 978-85-7888-654-7

1. Ficção infantojuvenil brasileira. I. Leblu. II. Título.

17-41363
CDD: 028.5
CDU: 087.5

2018
Todos os direitos reservados à Panda Books.
Um selo da Editora Original Ltda.
Rua Henrique Schaumann, 286, cj. 41
05413-010 — São Paulo — SP
Tel./Fax: (11) 3088-8444
edoriginal@pandabooks.com.br
www.pandabooks.com.br
Visite nosso Facebook, Instagram e Twitter.

Nenhuma parte desta publicação poderá ser reproduzida por qualquer meio ou forma sem a prévia autorização da Editora Original Ltda. A violação dos direitos autorais é crime estabelecido na Lei nº 9.610/98 e punido pelo artigo 184 do Código Penal.

*Aos amigos leitores e escritores
de literatura fantástica.*

SUMÁRIO

Prólogo 9

1. Centauros e Minotauros 13

2. O Guardião e os Artefatos 33

3. Os sonhos de Gustavo 52

4. Na sede dos Centauros 63

5. O Prêmio Quíron 71

6. Ben Hur e Rayud 90

7. Espectros 100

8. Moacir, o Maratonista 107

9. Na torre da igreja 117

10. Envenenamento............................ 129

11. Clarice acorda 134

12. No Mercado Público 141

13. O traidor aparece.......................... 153

14. Na Galeria do Rosário 162

15. Gustavo discute com Gaspar 174

16. Reflexões na enfermaria 188

17. A sede é invadida......................... 195

18. As coisas se complicam 201

19. O destino dos Artefatos 220

20. Após baixar a poeira..................... 235

PRÓLOGO

Gustavo acordou cedo e foi logo procurando sua coleção de pedras. Gostava de mantê-la organizada, e uma das suas preferidas havia sido esquecida no bolso do pijama. Percebera isso ao colocar o pijama na noite anterior. Já deveria tê-la colocado no lugar, mas tivera preguiça de se levantar da cama e tirar a caixa de cima do armário. A pedra provavelmente tinha sido deixada ali havia dois dias, quando estava organizando a coleção. Depois disso, tinha ido visitar os pais junto com a irmã, no interior do estado, e não vestira mais aquele pijama.

Colecionar pedras poderia parecer estranho para um rapaz de 17 anos, mas Gustavo não se incomodava de ser chamado de estranho, fazia o que tinha vontade de fazer, sem se preocupar com o que os outros iriam pensar; era introspectivo por natureza, mas com uma mente extremamente ativa; tinha opiniões bem-formadas e não se deixava levar por qualquer ideia preconceituosa ou sem base de sustentação.

Para sua surpresa, a caixa não estava onde deveria estar. No alto da escada dobrável, esticou a mão até onde o teto do armário se encontrava com a parede, mas nem sinal da caixa. A mão ficou cheia de pó e outras pequenas coisas não identificáveis que fizeram Gustavo espirrar várias vezes e quase perder o equilíbrio em cima da escada.

Deu uma passada rápida pelo banheiro para lavar as mãos e o rosto e foi para a sala onde a irmã tomava o café da manhã.

— Por acaso você andou mexendo na minha coleção de pedras?

— Que coleção de pedras o que, guri! Eu lá tenho cara de quem gosta de pedra? Pra quem se gaba de ter memória fotográfica e de não se esquecer de nada, fica meio chato ter esquecido onde guardou uma caixa daquele tamanho. Pergunta pra tia! – respondeu Clarice.

— A tia já saiu, ou nem chegou da balada. E pra quem se gaba de ter uma perfeita mente dedutiva e se intitula uma "Sherlock de saias", demorou pra entender que eu sei perfeitamente onde deixei minha caixa de pedras anteontem, só que ela não está mais lá! Será que algum ladrão entrou aqui e roubou?

– Ah! Com certeza! Um ladrão escalou o edifício até o terceiro andar, abriu nossa janela, entrou na nossa casa e aí, em vez de ele levar o Blu-ray, o tablet, a televisão e o notebook, entre outras coisas, levou tua caixa de pedras! Ô guri, vê se cresce!

Gustavo não se deu por vencido, mas não valia a pena argumentar com Clarice àquela hora do dia. Ela tinha um péssimo humor pela manhã. Talvez quando eles finalmente recebessem dos pais a grana prometida para comprar os *smartphones* tão necessários na cidade grande ela desenvolvesse um humor melhor. Eles tinham uma boa relação, mas, como eram irmãos, viviam se bicando e trocando farpas.

Clarice e Gustavo haviam se mudado para Porto Alegre a fim de frequentar a escola e o cursinho, simultaneamente. Os dois tinham planejado fazer o pré-vestibular e o terceiro ano da escola juntos e entrar, o quanto antes, na universidade. A tia os recebeu de braços abertos no apartamento que era bem maior do que ela realmente necessitava. Vinham de uma pequena cidade próxima à fronteira com o Uruguai. Morar em uma cidade do tamanho de Porto Alegre era um acontecimento na vida deles. Os irmãos tinham temperamentos bem diferentes. Ela, elétrica e irritadiça, falando sempre muito e com colocações bem-articuladas. Ele, calmo e ponderado, sempre disposto a ouvir e a ajudar.

1
CENTAUROS E MINOTAUROS

Há alguns anos, a cidade de Porto Alegre era praticamente desconhecida do resto do mundo, mas, hoje em dia, pode-se dizer que Porto Alegre é uma cidade internacional. Eventos como o Fórum Social Mundial e o Fórum Mundial das Águas, entre outros, fizeram a cidade ser reconhecida no cenário internacional.

Na verdade, há muito mais tempo, Porto Alegre participa, ainda que ocultamente, das decisões que definem os rumos do nosso planetinha azul. Neste mesmo momento, em um subterrâneo no centro da cidade, uma importante reunião está sendo realizada.

A sala que abriga essa reunião lembra uma daquelas antigas de castelos medievais, apesar de, praticamente, ser despida de qualquer tipo de ornamentação nas paredes, com exceção de um velho quadro em posição de destaque. Este é um dos vários lugares de reunião espalhados pelos subterrâneos da cidade. Poucos conhecem todas as salas e os segredos que elas escondem. Sobre a sólida mesa de madeira de lei, um seleto grupo de cidadãos desta e de outras cidades do mundo, convocado para uma reunião de emergência, se debruça discutindo na língua local.

– Eu proponho que façamos alguma coisa já! Está mais do que provado que novamente o Artefato está ao alcance da outra Ordem – propôs o diretor dos trabalhos daquele Núcleo.

– Eu concordo. Foi um golpe de sorte que ainda este Artefato não tivesse sido perdido para eles. Mas não vamos ter essa sorte duas vezes. Depois da invasão da casa do Guardião na noite passada, precisamos agir imediatamente. Precisamos tomar alguma providência.

– Senhores, avaliem bem essas sugestões. O Guardião é jovem, ainda nem sabe que de fato guarda alguma coisa. O ideal seria que esperássemos que ele avançasse mais em sabedoria e idade para poder tomar conhecimento da sua missão. Envolvê-lo tão cedo pode causar problemas no seu desenvolvimento – falou o membro mais idoso da reunião, sentado na cabeceira oposta à do diretor.

– Se não fizermos nada agora, a outra Ordem vai fazer! O Guardião vai ser envolvido de qualquer forma. O Guardião anterior pôde ficar quase vinte anos inconsciente, mas isso não é possível desta vez. Aliás, os períodos estão ficando perigosamente mais curtos!

– Eu não disse que não concordava com vocês, mas só queria que todos ficassem bem conscientes do passo que estamos prestes a dar. É meu dever, como Arco mais velho deste Núcleo, ser o mais prudente de todos. Eu concordo com vocês, vamos mandar nosso agente hoje à casa do Guardião. Acredito que a outra Ordem deve mandar um dos seus hoje. O Guardião precisará de proteção, mas temos que estar conscientes de que isso significa colocá-lo no jogo antes do tempo. O fato de a irmã ser ainda mais jovem e imatura do que o próprio Guardião me preocupa bastante também. Vocês sabem que o papel dela é decisivo nesta história toda e que devemos evitar destacar demais a importância que ela possui no processo – ninguém deseja que essa repentina notoriedade suba à cabeça da menina. Vamos abrir logo a votação.

– Quem vota a favor? – perguntou o diretor. Todos levantaram o braço, apoiando. – Então fica decidido assim. Sugiro que mandemos Ben Hur, penso que ele é o mais indicado para a situação. Parece que serão os bem jovens a decidir o caso desta vez.

* * *

No apartamento de Gustavo e Clarice, mais um período de estudos se encerrava. Felizmente a tia Alba não era daquelas que queria saber de todos os detalhes da vida deles assim que chegavam em casa. Também tinha uma vida bastante agitada. Com trinta anos recém-completados e solteira, além de trabalhar o dia todo numa agência de publicidade, ela tinha uma intensa vida social e ainda, por vezes, virava as noites trabalhando nas campanhas para as quais a agência era contratada, atividades que a mantinham bastante tempo fora de casa. Ainda assim, prometera à irmã que cuidaria dos sobrinhos com todo o cuidado, e no início tinha se empenhado em mantê-los na linha, mas com o tempo, dada a tranquilidade com que os irmãos levavam a vida, acabou deixando que eles mesmos se comandassem, interferindo apenas vez por outra para saber se tudo estava em ordem.

Os dois chegaram cansados de um dia cheio de novidades e aprendizado. Gustavo facilmente decorava textos e regras, mas apanhava um pouco quando o negócio envolvia apresentações orais ou trabalhos em grupo. Na maioria das vezes, não se sentia à vontade com os colegas. Clarice encontrava dificuldades em tudo que envolvesse nomes e nomenclaturas; quando se tratavam de fórmulas químicas então, era um desastre. Entretanto, era genial quando se tratava de questões mais filosóficas ou dedutivas. De qualquer forma, estavam cansados. Cansados demais para retomar o assunto da manhã. Após encontrar o bilhete da tia, informando que não a esperassem tão cedo porque deveria passar a noite fora, Gustavo colocou o mesmo pijama da noite anterior e Clarice desapareceu no seu quarto sem nem sequer dar boa-noite.

Lá pelas duas da manhã, um ágil personagem vestido de preto abriu, por fora, a janela da sala do apartamento 302 sem fazer o menor ruído. Seu rosto ainda jovem, mas já sem os traços da adolescência, demonstrava um aspecto grave como que confirmando a importância da tarefa. Nesse mesmo momento, Gustavo, que raramente acordava no meio da noite, sentiu sede e resolveu ir até a cozinha buscar um copo de água. Saiu do quarto ainda cambaleando de sono, passou pela sala e, momentos antes de entrar na cozinha, sentiu um forte par de mãos segurá-lo. Enquanto uma mão lhe tapava a boca, a outra segurava seus dois braços para trás. Tentou em vão livrar-se daquele abraço indesejado. Ouviu, então, uma voz sussurrando: "Fica quieto e tranquilo que eu não desejo te causar nenhum problema". Gustavo imediatamente pensou: *O ladrão das pedras!* Enquanto ainda se debatia sem sucesso e pensava no que deveria fazer, ouviu um estrondo, seguido do baque do corpo do invasor caindo no chão, aos seus pés. Gustavo então se virou e visualizou Clarice ofegante, com um pé da bota de couro, salto 12, preso entre as mãos nervosas, balançando pendente logo abaixo da cintura. Clarice, com o olhar parado, repetia preocupada a frase: "Coitadinha da minha bota, coitadinha da minha bota...".

* * *

Já refeitos do susto, Gustavo e Clarice olhavam para o sujeito caído na sala sem saber o que fazer. Clarice, mais decidida, tomou a iniciativa: foi até a área de serviço, cortou a corda do varal com uma faca de cozinha e começou a amarrar o homem como se fosse um salame. Gustavo é quem dava os nós, sabia todo tipo de nós; aprendera, como sempre, lendo num livro. Após uns dez minutos de puxões, o estranho já estava totalmente amarrado. A amarração podia não ser uma obra-prima no quesito estética, mas era firme. Poucos minutos depois, o sujeito acordou. Quase não acreditava no estado em que se encontrava. Resolveu, então, abrir o jogo com os dois irmãos:

– Me desamarrem, por favor. Temos pouco tempo!

– Mas isso vai ser a última coisa que nós vamos fazer! – gritou Clarice, com um sentimento de vitória. – Se você tem alguma coisa para dizer, vai ter que dizer assim mesmo, todo amarradinho.

– Se vocês não me desamarrarem, vai ser pior para vocês; eu vim protegê-los!

– A-hã. Conta outra. Nós somos jovens, mas não somos bobos.

– Quem sabe ele tá falando a verdade, Clarice – sugeriu Gustavo.

– Corrigindo – cortou Clarice –, o meu irmão *é* meio bobo.

Nesse momento, o homem fechou os olhos e pareceu entrar em uma espécie de transe. De repente, seu corpo começou a tremer e as cordas, estranhamente, começaram a ceder.

– Segura ele, guri! – gritou Clarice.

Gustavo pulou sobre o sujeito, mas logo se afastou, dizendo:

– Não posso, está dando choque!

A estranha luminosidade que envolvia o homem amarrado lembrava fagulhas elétricas.

Enquanto Clarice e Gustavo se preocupavam com o invasor, outra figura indesejada adentrava pela janela da sala: um homem maior que o primeiro, vestindo uma roupa feita de um couro já um pouco gasto. Usava uma máscara de couro, que lembrava algum tipo de animal com chifres. Bem menos sutil que seu antecessor, estilhaçou o vidro da janela ao passar por ela. Quando os dois irmãos se voltaram em direção à janela, já era tarde demais. Clarice não teve tempo sequer de se desviar de um tapa no rosto, que a jogou contra a parede, fazendo-a ficar desacordada no chão. O sujeito pegou Gustavo pela gola do pijama, levantou-o a uns trinta centímetros do chão e falou com uma voz gutural:

– Onde está?

– Onde está o quê? – perguntou Gustavo sem ar.

– O Artefato! Vamos, me dê logo!

Clarice, ainda semiconsciente, ao ouvir aquela voz animalesca despertou de terror e, sem perder tempo, arrastou-se como pôde até os pés do agressor. Lutando contra a repulsa que ele lhe causava, cravou os dentes na sua panturrilha, arrancando um urro de dor. O homem largou Gustavo e levou a mão ao local ferido da perna.

Nesse meio tempo, o primeiro invasor já havia se soltado completamente e, agarrando o primeiro objeto que encontrou no chão – a bota de Clarice –, arremessou-o com toda a força contra a cabeça da fera que estava a sua frente, desprotegida. O homem caiu desacordado ao lado de Clarice.

Clarice, cuspindo o mau gosto da boca, olhava para todos e, após um profundo suspiro, acabou por dizer:

– Coitadinha da minha bota, coitadinha da minha bota...

* * *

O sujeito ficou desacordado alguns minutos. Ao tirarem a sua máscara, constataram que a cara dele não melhorava muito sem ela. Gustavo e Clarice,

novamente, fizeram o trabalho de amarração, desta vez ajudados por Ben Hur, que já se apresentara. Depois de Ben Hur ter nocauteado o Touro, esse era o nome do sujeito, Gustavo e Clarice passaram a acreditar – com ressalvas no que diz respeito a Clarice – que Ben Hur era realmente alguém que fora enviado para protegê-los. Quando o Touro acordou, Ben Hur imediatamente aplicou-lhe o conteúdo de uma seringa. O braço do Touro estava tão retesado que a agulha quase não conseguiu penetrar abaixo da pele, mas, por fim, o bandido não resistiu e deixou, urrando, o líquido amarelo viscoso penetrar em sua corrente sanguínea.

– Isso é garantia de 24 horas de sono tranquilo – explicou Ben Hur –, mesmo para um sujeito desse tamanho.

Ainda no apartamento dos irmãos, após desculparem-se com os vizinhos que vieram em procissão à porta do apartamento 302 saber quem fizera aqueles barulhos e dera aqueles urros horrendos, Clarice cobrava respostas de Ben Hur que, apesar de demonstrar pressa, concordou em utilizar alguns minutos para tranquilizá-la e satisfazer a sua curiosidade.

— Muito bem, senhor Ben Hur, o senhor entrou na nossa casa sem ser convidado, tentou prender meu irmão, deu choques por aí e, o pior de tudo, arremessou minha botinha na cabeça desse chifrudo maluco; mas agora vai ter que dar algumas explicações – intimou Clarice. – Primeiro: o que é esse tal de Artefato? Segundo: quem é esse doido desse Touro? Terceiro: o que eu e o meu irmão temos com essa história toda?

— Ótimas perguntas, Clarice. Vou procurar respondê-las, apesar de fora de ordem. A pergunta sobre o Touro já foi respondida na própria pergunta: ele é um doido e faz parte de um grupo de doidos muito perigosos que dão suporte a ele. Esses malucos, que depois vou explicar melhor quem são, vão fazer de tudo para conseguir o tal Artefato, que nada mais é que um objeto relativamente pequeno, com aparência de uma pedra diferente...

— Foram eles que roubaram minha coleção de pedras! – gritou Gustavo.

— Exatamente, foram eles – confirmou Ben Hur.

— Eu sabia! – vibrou Gustavo, olhando com desdém para Clarice.

– Mas se ele já tem a pedra, o que eles ainda querem conosco? – replicou Clarice.

– A Pedra, ou o Artefato, não estava na coleção de pedras; felizmente, estava num lugar bem mais seguro. Não é, Gustavo?

Gustavo pensou por um momento, depois apalpou o bolso do pijama e retirou uma pedra esverdeada com um aspecto estranho. A pedra parecia ser um objeto construído, mas visivelmente era formada de um composto mineral.

Após alguns momentos em que todos ficaram admirando o Artefato, Clarice falou:

– É esse negocinho aí que aquele brutamontes lá queria? Que coisa, hein? Tem gosto pra tudo!

– Não é pela beleza dela que os amigos do brutamontes foram atraídos, é pelo que ela pode fazer. Mas isso eu não posso explicar para vocês agora. Primeiro vamos tirar o Touro daqui e depois conversamos mais.

– NÓS? Como assim? Você pode tratar de ir tirando essa coisa aí do meu tapete, porque eu vou aproveitar o resto da noite, ou melhor, da madrugada, para continuar o meu merecido descanso na minha adorada cama. Pra mim, esse episódio acabou por hoje – disse Clarice.

— Infelizmente não posso deixar que a noite acabe desse jeito, Clarice. A noite, ou melhor, a madrugada de vocês não acaba aqui; se você quer mais respostas, precisa vir comigo agora. Tenho certeza de que o Gustavo já decidiu ir até o fim. O que você decide?

— Eu decido não ir – pausa –, mas minha curiosidade quer o contrário. E ela sempre vence. Vamos logo, então, porque se eu não dormir pelos menos duas horinhas, amanhã vou estar com um péssimo humor.

— Pra variar – completou Gustavo baixinho, sem que Clarice escutasse.

* * *

Enquanto desciam as escadas com Touro, como se não bastasse o peso daquela massa bruta, Gustavo teve que aguentar Clarice se gabando do seu bom gosto para sapatos. Sua irmã o obrigou a prometer que nunca mais faria nenhum comentário sarcástico sobre qualquer calçado ou peça de vestuário que ela comprasse.

— Afinal de contas – disse Clarice –, eu e a minha botinha salvamos teu pescoço duas vezes essa noite, não só uma, mas duas vezes! – Gustavo ficou admirado de Clarice ainda ter força emocional para falar de coisas tão insignificantes quanto sapatos.

O carro de Ben Hur era uma daquelas antigas caminhonetes tipo Rural. Os irmãos ficaram um pouco decepcionados. Pensaram que Ben Hur fizesse parte de uma organização um pouco mais rica e sofisticada. Esperavam encontrar um desses carros modernos, todo curvilíneo e completamente automático.

– Não se enganem com o aspecto do carro – disse Ben Hur –, fiz algumas modificações nele.

Acomodaram Touro na parte traseira da caminhonete e entraram. Ben Hur dirigia, Gustavo ficou na janela oposta, com Clarice no meio. Dessa vez, ao verem o painel do carro, ficaram admirados: ele era quase totalmente liso, formado apenas por uma série de botões sem relevo na fria superfície vítrea leitosa. Não havia números ou inscrições. Apertando os botões numa sequência rápida, Ben Hur deu a partida. Com outra sequência, mudou a polaridade dos vidros, escurecendo-os para quem olhasse de fora, e o para-brisa mudou para uma tonalidade esverdeada, o que fez com que a visão ficasse clara, apesar da noite escura.

— Agora, enquanto dirijo, talvez possa responder mais uma ou duas perguntas. A nossa viagem é curta, vamos somente até o Centro de Porto Alegre.

— Bom — reagiu Clarice rapidamente —, vamos tentar de novo. Já sabemos um pouco sobre nosso amigo aí atrás, mas de você, além do nome, não sabemos nada.

— Eu fui designado pelos meus superiores para proteger o Guardião de um provável ataque do grupo conhecido como a Ordem dos Minotauros, uma organização internacional, muito antiga, que busca lucro e poder a qualquer preço.

— Todos eles têm essa cara de boi, como o nosso passageiro de trás?

— A maioria deles não têm o aspecto do Touro, mas ele andou servindo de cobaia em alguns experimentos do grupo e acabou adquirindo o poder e a força que queria, apesar de ter perdido, em parte, sua condição humana. Aliás, o Touro é um bom exemplo do que são os Minotauros — eles fazem qualquer coisa para conseguir o que querem. Enterram-se no submundo, associam-se aos piores elementos e deixam qualquer sentimento e instinto baixo prevalecer, desde que atinjam seus objetivos.

– E você faz parte de outro time?

– Eu sou de um grupo tão antigo quanto o dele e que pretende ser completamente oposto ao que eles são. Nós somos conhecidos como os Centauros.

– Touro, Cavalo, não me parece muito diferente em termos de simbolismo – disse Clarice.

– Talvez pareça que não, mas numa análise mais profunda, podemos perceber que enquanto o Minotauro, na Grécia Antiga, representava o vil, o torpe e o carnal, pedindo sacrifícios de jovens para satisfazer seu apetite insaciável e seu ego, tendo a sua metade superior dominada pela parte animal, os Centauros representavam seres de outra natureza: tinham os pés, ou melhor, as quatro patas bem presas à terra, mas estavam sempre procurando o celestial; suas flechas, ou objetivos, apontavam para o alto, apenas sua metade inferior estava relacionada à natureza animal; eles não se contentavam com sua condição carnal, buscavam algo mais...

– Buscavam poder, igual aos outros – provocou Clarice.

– Talvez, mas não a qualquer custo. Buscavam iluminação; e isso, com certeza, traz poder.

– Ah! Então é tipo uma religião?

– Não, ou melhor, pelo menos não é o que pretendemos. Temos normas de conduta e princípios de retidão, mas não somos obrigatoriamente vinculados a nenhum grupo religioso. Nesse aspecto, cada um é livre para buscar por si próprio.

– Agora captei! Vocês são uma sociedade secreta!

– Pode-se dizer que sim. Na verdade, a mais secreta, já que ninguém nos conhece até que nos apresentemos. E depois disso, ninguém nunca comentou o assunto com quem não devia, mesmo porque passou a fazer parte do grupo. Fora do nosso círculo, nossa organização não existe. Não aparece na mídia, não é citada nos livros de história, ninguém famoso foi descoberto fazendo parte dela. Aliás, a grande maioria dos nossos membros é composta por pessoas que passam despercebidas, pessoas que estão em todos os ambientes e ouvem de tudo, mas que são aparentemente comuns: garçons, vigias, taxistas, recepcionistas, secretárias, estudantes...

– Não contem comigo! Não pretendo brincar de sociedade secreta com ninguém. Já tenho muitos compromissos! Não é, Gustavo? Não é, Gustavo?!

– Vamos ouvir o que eles têm para dizer, Clarice. Você sabe muito bem dos sonhos que eu tenho tido nas últimas semanas... agora algumas coisas começam a fazer sentido na minha cabeça.

– Mas que guri mais bobo!

– Vocês não me perguntaram uma coisa, mas eu vou responder mesmo assim. Eu disse que fui designado para proteger o Guardião. Não querem saber quem é o Guardião? – silêncio. – O Guardião é quem guarda o Artefato. Ele foi escolhido a dedo entre milhões, mesmo sem saber, e é a peça-chave de uma série de eventos que parecem prestes a acontecer.

Gustavo e Clarice se olharam. Gustavo sorriu e Clarice sorriu de volta, desdenhando.

– Pronto! Agora vai se achar o tal!

– Estamos chegando – cortou Ben Hur.

2
O GUARDIÃO E OS ARTEFATOS

O trajeto do bairro Cidade Baixa até o Centro não durou mais que dez minutos.

Chegando lá, dirigiram-se à praça Marechal Deodoro, situada no coração da cidade, também conhecida como Praça dos Poderes, por concentrar em seu entorno os centros decisórios dos poderes Executivo, Legislativo e Judiciário. De frente para essa praça localiza-se a Catedral Metropolitana, toda em granito rosa, que possui uma das maiores cúpulas do mundo. Em sua fachada vemos vitrais representando a catequização dos índios no estado. No século XVIII, foi construída onde se localiza a atual catedral Igreja Matriz, e o espaço à sua frente passou a ser chamado de Praça da Matriz, como é conhecido até hoje.

Chegando à Praça da Matriz, a Rural entrou no estacionamento de um famoso prédio público. O vigia, também membro da Ordem dos Centauros, reconheceu Ben Hur e logo os deixou entrar.

Já dentro do estacionamento do prédio, os três saíram do carro e se dirigiram aos elevadores. Tão logo entraram, o elevador começou a descer, ainda que oficialmente não existissem andares para baixo. Desceram por cerca de trinta segundos, pararam, e a porta abriu-se para um luxuoso hall de hotel.

A atividade era intensa, apesar da hora adiantada. Após trocar rápidas palavras com o recepcionista, Ben Hur avisou-os de que seguiriam até a sala de reuniões. Todos eram muito sorridentes e simpáticos. Clarice desconfiou de que os sorrisos se deviam ao fato de ela e o irmão ainda usarem seus pijamas, mas concluiu que não era esse o caso, pois pessoas usando as mais variadas vestimentas circulavam no hotel subterrâneo. Mesmo assim, Clarice exigiu, antes de participar de qualquer reunião, vestir roupas decentes. Sorrindo, Ben Hur arrumou macacões de cor cáqui para os irmãos, que logo trataram de vesti-los. Clarice teve que dobrar as mangas e as pernas da roupa, talvez o pijama tivesse ficado mais adequado. Conseguiram também calçados apropriados, espécies de botas curtas da mesma cor do macacão. Clarice avisou

Ben Hur que não pretendia devolvê-las, iriam para a sua coleção. O macacão de Gustavo parecia ter sido feito sob medida.

Gustavo tropeçou duas ou três vezes enquanto percorriam uma série de corredores. Apesar da quase completa escuridão, Clarice conseguiu perceber que desciam ainda mais; por alguns momentos, sentiu que o som dos passos parecia ecoar em um grande saguão; ouviu também o barulho de água corrente e concluiu que deveria ser um rio subterrâneo ou algo parecido. Após uns 15 minutos a escuridão se dissipou e chegaram a uma grande sala. Três homens já os aguardavam sentados ao redor de uma grande mesa de madeira de lei.

— Sejam bem-vindos! — falou o homem que se identificou como sendo o diretor daquele núcleo. Sentava-se à extremidade da mesa. — Gaspar é meu nome e espero que se sintam à vontade durante a nossa breve conversa. Estes — apontou para os homens que sentavam-se à sua direita — são outros membros da nossa Ordem: Jethro e Alexandre.

Nossa Ordem! A coisa está ficando cada vez mais parecida com um daqueles filmes trash *dos anos 1970*, pensou Clarice.

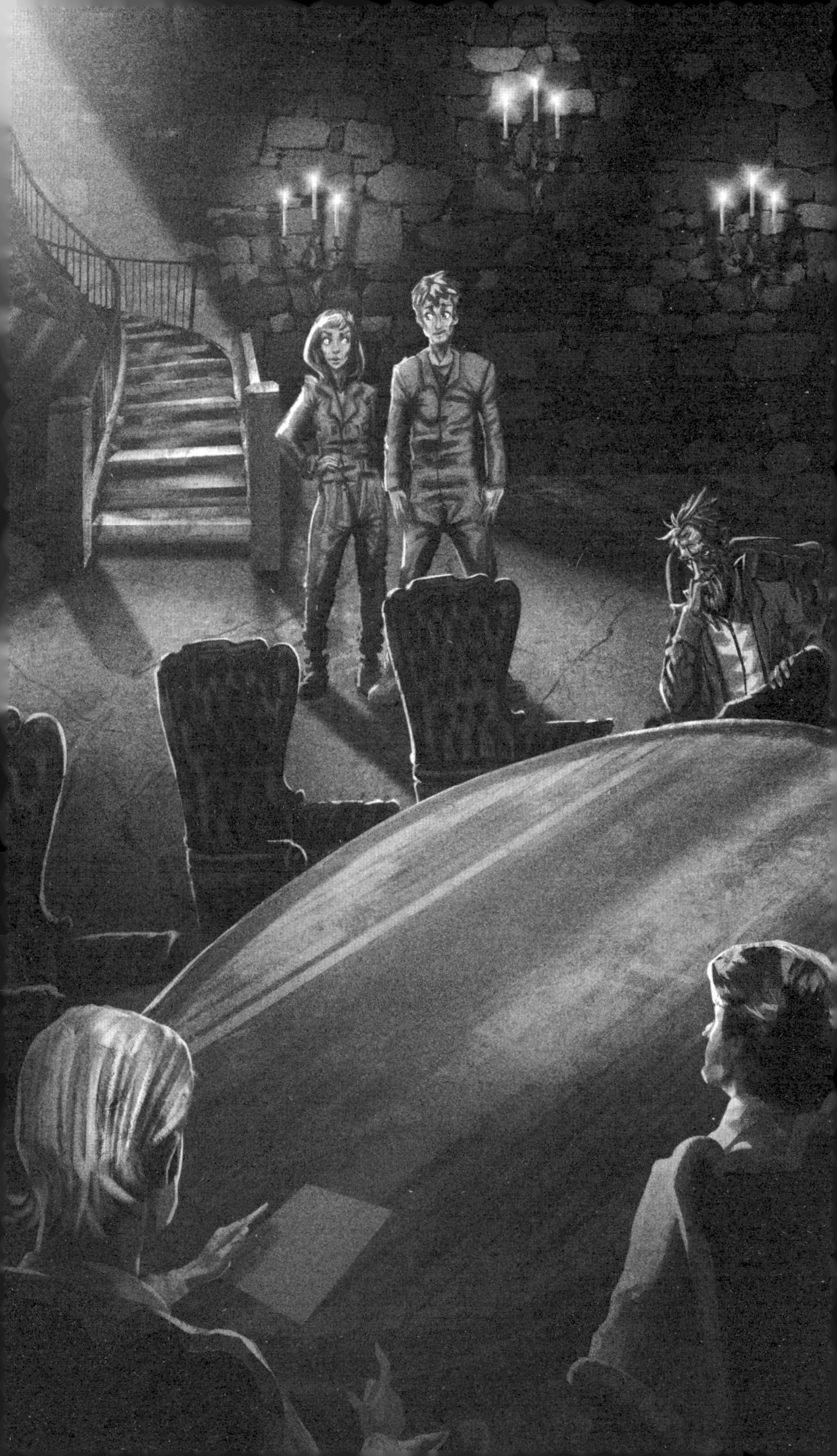

Gaspar aparentava ser um homem de meia-idade, mas tinha os cabelos completamente brancos, o que lhe rendeu o apelido de Gaspar, o Fantasma. Ele não se importava de ser chamado assim, tinha bom humor e espírito esportivo; porém ninguém abusava muito de sua paciência, os que já o tinham visto enfurecido não recomendavam. Aliado a isso, Gaspar era conhecido por sua capacidade de persuasão e eficiência em situações de crise. Tinha tal poder de convencimento que era difícil resistir às suas sugestões; apresentava as questões de maneira simples, mas, em geral, saía vitorioso de qualquer discussão; era ótimo tê-lo do lado certo da balança.

Alexandre era mais novo, devia estar beirando os trinta. Tinha uma aparência comum, cabelos escuros, estatura média, nenhum traço marcante. Um sujeito sem grandes atrativos. Jethro era o mais idoso de todos, irradiava sabedoria, sua aparência era serena, de quem já passou por muitas dificuldades e sobreviveu. Todos se calavam quando ele falava.

Clarice e Gustavo foram convidados a sentar à esquerda do diretor. Ben Hur e Gaspar se afastaram alguns minutos da mesa e cochicharam discretamente, enquanto Jethro e Alexandre olhavam sorridentes para os dois irmãos.

— Muito bem! Podemos conversar por alguns minutos, mas não esperem muitas respostas.

Clarice ficou um pouco indignada. Mas a curiosidade era tanta que abriu mão temporariamente de sua indignação para saber que circo era aquele. Mesmo assim, estava disposta a protestar fazendo uma ou duas observações queixosas. Porém, percebeu que não poderia tratar levianamente daqueles assuntos. Existia uma espécie de poder, de aura de autoridade vinda daqueles homens e daquele lugar, que a fez calar e engolir as palavras que quase disse em tom mais elevado do que deveria.

Gustavo, entretanto, sentia-se em casa. A calma e a tranquilidade irradiadas por aquela sala a metros de profundidade o faziam sentir-se capaz de qualquer coisa impossível. Sabia que aquilo que estava acontecendo era algo sério, maior do que qualquer brincadeira em que ele já havia se envolvido. Sentiu-se à vontade para começar perguntando:

— Ben Hur nos falou um pouco sobre a organização de vocês, e devo dizer que não fiquei surpreso, já que vinha tendo alguns sonhos que só agora fazem sentido. Mas qual efetivamente é nosso papel nisso tudo?

Pela primeira vez em anos, Clarice resolveu ficar calada e deixar seu irmão lidar com a situação – ser o Guardião devia servir para alguma coisa.

Após um breve momento de troca de olhares entre todos, Gaspar respondeu:

– Durante centenas de anos, nós temos protegido a humanidade de certas situações que trariam grande perigo. Existem pessoas que buscam poder e controle, mesmo à custa da vida de outros seres humanos.

– Grande novidade! Bem-vindos ao século XXI! Ben Hur já nos falou sobre os tais Caras de Boi – disse Clarice.

– Sim, os Minotauros agem dessa forma – respondeu Gaspar –, mas não são os únicos. Muitas outras pessoas, pertencendo ou não a organizações, seitas ou gangues, procuram poder, independentemente do custo. Muitos deles são combatidos pelo poder constituído nos países, forças armadas ou organizações governamentais. Porém, quando essas pessoas ou organizações começam a mexer com poderes além de sua compreensão, nós assumimos a situação, discretamente.

— Vocês não me pareceram nada discretos invadindo nossa casa e fazendo aquele auê todo – cortou Clarice.

— Nossa intenção não era causar nenhum tipo de transtorno, mas certas situações exigem medidas mais enérgicas. Tivemos que agir daquele jeito pelo bem de vocês.

— Nós compreendemos Gaspar, ou melhor, senhor Gaspar. A propósito, como devemos chamá-los? "Senhor" está bom ou vocês usam algum outro título? – perguntou Gustavo, meio sem jeito.

— Em conversas informais, podem me chamar só pelo nome mesmo. Mas foi bom abordar essa questão, assim posso explicar um pouco a hierarquia da nossa Ordem. Os pormenores hierárquicos da organização não são muito simples, mas para um entendimento rápido, vou explicar de maneira superficial. Ao ingressar na Ordem, a pessoa é chamada somente pelo título de Centauro e pode ocupar diversas posições. Cumprindo certos requisitos a pessoa recebe o título de Arco. Da mesma forma, a pessoa pode atingir a posição de Flecha e, finalmente, de Alvo. Cada uma dessas posições têm diversos graus.

– É, até que é interessante, mas de onde vocês tiraram essas designações estranhas?

– Olhem para este quadro na parede.

Gaspar apontou com o polegar para um antigo quadro emoldurado que estava logo atrás de sua cadeira. Apesar de a imagem já estar um pouco desbotada, era possível distinguir claramente a figura de um centauro disparando uma flecha para um céu iluminado. O que impressionava era a riqueza de detalhes e o realismo da ilustração.

– Os quatro títulos ou designações podem ser visualizados nesta tela. Espero que consigam perceber. A tela representa graficamente o progresso de cada um dentro da Ordem. Quanto mais elevado o título, mais próximo do nosso objetivo comum.

– E esse objetivo seria...? – perguntou Gustavo.

– Iluminação. Primeiro, em nível individual; mas esperamos que um dia cheguemos a essa meta também coletivamente – respondeu Gaspar com entusiasmo.

– Ok, ok! É tudo muito bonito, mas ainda não explicaram o nosso papel nessa história toda! – falou Clarice, cortando a empolgação de Gaspar e a concentração de Gustavo.

– Muito bem! – disse Gaspar, suspirando. – Para explicar essa questão, vou deixar que o Alexandre tome a palavra.

Alexandre, que assistia a tudo impassível, parecia estar esperando a sua vez de falar.

– Caros Gustavo e Clarice, como já perceberam, existe realmente um importante papel que esperamos que vocês possam desempenhar. Gustavo foi escolhido Guardião há anos. Fizemos com que o Artefato chegasse a suas mãos e esperávamos que os Minotauros não tomassem conhecimento disso tão cedo. Infelizmente, as coisas não aconteceram dessa forma.

O tom dramático de Alexandre colocava tal dose de emoção nas palavras, que Gustavo e Clarice se surpreenderam cravando as unhas nos braços das respectivas cadeiras.

– Como os acontecimentos se precipitaram dessa maneira – continuou Alexandre –, não nos restou outra alternativa a não ser sair do anonimato e revelar a vocês nossa existência. Esperávamos que pudéssemos prepará-los por mais dez anos, pelo menos, para que assumissem as posições às quais já estavam destinados há muito tempo. A cada duas ou três décadas surge o perigo dos Artefatos caírem nas mãos de alguma pessoa ou grupo mal-intencionado, e esse ciclo tem sido um padrão que já vem se perpetuando por quase mil anos.

Gustavo e Clarice continuavam agarrados às cadeiras, com a diferença de que agora tinham também os olhos arregalados.

Apesar da tensão, Gustavo arriscou perguntar:

– Artefatos? Não era *um* Artefato?

Alexandre pareceu não tomar conhecimento da pergunta e continuou:

– Nossa Ordem é tão antiga quanto as nações. Sempre estivemos permeando os governos e participando das tomadas de decisões. Em todo grande evento mundial, nossa Ordem se faz presente de maneira incógnita. Partilhamos de muitos segredos e obtivemos muito conhecimento. Vários objetos tiveram que ser guardados e protegidos para que pessoas ou organizações inescrupulosas não se utilizassem dos mesmos com más intenções. Dois desses Artefatos foram adquiridos por nós em 1097, no Oriente Médio, e um terceiro foi recentemente descoberto em outro lugar e permanece lá, sob nossa vigilância. Eles são conhecidos como os Três Artefatos. Hoje, infelizmente, temos somente um em nosso poder.

Gustavo apalpou o bolso e percebeu que já não se encontrava mais na posse da pedra. Gaspar, percebendo o seu gesto, esclareceu:

– Está conosco. Em um cofre, em um núcleo – e, dirigindo-se a Alexandre, pediu com autoridade, antes que ele continuasse a narração:

– Alexandre, pare de usar a Voz. Eles já passaram por muita tensão num dia só. A Voz – explicou Gaspar, dirigindo-se a Gustavo e Clarice – é um recurso que muitos de nós utilizamos em diversas situações. Nem todos dominam esse conhecimento ou são iluminados o suficiente para desenvolvê-lo e utilizá-lo. Alexandre estava usando esse recurso para enfatizar sua narrativa e dar emoção às palavras, controlando alguns sistemas do corpo de vocês. Mas existem outras formas de utilização, algumas bem mais agressivas. Tenho certeza – disse olhando para Alexandre – que nosso colega de Ordem fez isso sem pensar, já que no caso de Alexandre o dom é natural e flui sem que ele perceba.

Sem se abalar, Alexandre continuou:

– O outro Artefato, após lamentáveis acontecimentos, foi tomado de nós há mais ou menos 25 anos. Os Minotauros o possuem e fazem bastante uso dele.

Clarice agora estava impaciente, visto que Alexandre ainda não tinha nem de perto mencionado o papel deles na história. Percebendo sua ansiedade, Alexandre continuou:

– Como vocês já sabem, os Artefatos são objetos semelhantes a pedras. Originalmente formavam um único objeto que, posteriormente, foi dividido em três. Muitas lendas se referem a essa esfera, gema ou disco, variando os detalhes de acordo com o relato de cada nação. Segundo uma antiga lenda inca, que permite fácil entendimento, a história é a seguinte:

"Um poderoso rei inca tinha três filhos e a cada ano permitia que um deles governasse a seu lado a grande nação inca.

O filho mais novo, de nome Cabac, certa vez decidiu que não mais queria partilhar o trono com o pai ou com os irmãos e planejou roubar a gema preciosa, considerada a fonte de poder do rei.

Tendo sido avisado por Rescar, o filho mais velho, das intenções do irmão, o rei foi até a sala do trono com seus outros dois filhos e surpreendeu Cabac com a mão sobre a gema. Por um momento, Cabac pareceu recuar, mas não resistiu e tentou roubar a gema mesmo diante dos olhos dos irmãos e do pai. Seguiu-se uma disputa violenta na qual a gema passava de mão em mão enquanto o rei observava, impassível.

Em determinado momento, a gema escapuliu das mãos dos irmãos e partiu-se em três pedaços. Naquele momento, começou também a ruína do reino. Desolado com a perda da sua gema preciosa, o rei tomou os pedaços nas mãos, deu-os a cada um dos irmãos e partiu em seguida. Ele nunca mais foi visto.

Os três irmãos fundaram três reinos que disputaram o poder por séculos."

– Lendas à parte, o fato é que os Artefatos existem e cada um deles possibilita ao possuidor algumas habilidades consideradas mágicas, porém eles têm certas peculiaridades – continuou Alexandre. – O Artefato Menor não possui grande poder quando comparado com os outros; ele possibilita ao possuidor alguns poderes simples e em baixa intensidade. O sujeito fica um pouco mais rápido que o normal, um pouco mais forte, consegue, com muita concentração, alguma telecinesia e domínio sobre a mente de pessoas fracas de vontade. Esse Artefato não traz quase nenhum prejuízo para quem o possui, se o fizer de forma moderada. Atualmente, está em poder dos Minotauros. O Artefato Médio, que está em nosso poder, proporciona ao possuidor poderes um pouco mais complexos e intensos, mas nós não o conhecemos em sua totalidade porque nunca nos atrevemos a usá-lo. À medida que o Artefato trabalha para o possuidor, também o domina, altera sua mente e seu corpo e, até onde sabemos, isso é irremediável.

– Mas então, eu... – tentou falar Gustavo empalidecendo, ao lembrar-se por quantos anos ficou inconscientemente na posse do tal Artefato.

– A única maneira de tal prejuízo não ocorrer – cortou Alexandre – é o fato de o possuidor desconhecer o poder que tem nas mãos. Geralmente lidamos com isso escolhendo um Guardião de boa índole e diligente, e o mantemos sob vigilância. Esse é o motivo de vocês estarem aqui.

– Quer dizer que meu irmão foi um fantoche nas mãos de vocês! – disse Clarice, começando a mostrar a velha irritação.

– De forma alguma. O Guardião não é um mero fantoche. Na verdade, essa é uma grande oportunidade para o escolhido. O Guardião é alguém muito especial; é escolhido, literalmente, entre milhões de pessoas, precisa ter uma série de qualidades e preencher uma série de pré-requisitos, entre eles ser membro em potencial da Ordem dos Centauros e ter pai, ou mãe, ou esposa, ou irmão, ou irmã – disse Alexandre, frisando a palavra "irmã" – com as mesmas características no que se refere a caráter, mas com habilidades complementares. Como é o caso de vocês dois.

Gustavo e Clarice ficaram pensativos.

– Como vocês agora já sabem sobre os Artefatos, não podem mais guardar o Artefato Médio sem sofrer os prejuízos que descrevemos. Mas temos outras funções para vocês, caso decidam se juntar a nós.

– Vocês querem, então, que nós nos filiemos à Ordem? – perguntou Clarice.

– Confesso que temos essa intenção – respondeu Gaspar.

Após alguns instantes de meditação, Clarice perguntou, hesitante:

– Seria melhor se pudéssemos pensar um pouco, ou a resposta tem de ser agora?

– Devem pensar! – disse Gaspar. – Mas precisamos que decidam ainda hoje. E enquanto pensam, Alexandre vai, rapidamente, explicar sobre o terceiro Artefato.

– Bom, o Artefato Maior é o que fornece mais poder ao seu possuidor; ele dá poderes intensos e quase irresistíveis a quem o possui, mas corrompe a alma, a mente e o corpo ainda mais do que o anterior. Existem algumas referências históricas que indicam que alguns já o possuíram e se arruinaram por causa dele, até mesmo alguns grandes estadistas e ditadores de vários países ao longo da história do mundo sofreram desse mal. Somente alguém totalmente cego, inescrupuloso e sedento de poder pensaria em utilizá-lo. Como já dissemos, esse Artefato não está em nosso poder, mas está sob nossa vigilância. Diferentemente do Artefato Médio, a ignorância a respeito do Maior não salva o possuidor dos prejuízos que ele causa. Usamos uma estratégia um pouco diferente para mantê-lo longe das mãos ávidas de algum louco. Na hora apropriada, e se decidirem se juntar a nós, ficarão sabendo qual é essa estratégia.

– Acho que já é o suficiente por hoje, Alexandre – disse Gaspar. – Os dois já receberam bastante informação por agora e têm uma importante decisão a tomar.

Gaspar sabia que tinha mexido com a curiosidade de Clarice e com os sentimentos altruístas de Gustavo, que parecia esperar por uma oportunidade de se dedicar a uma grande causa desde que nascera. Haviam tocado no ponto fraco de cada um dos irmãos.

– Antes que respondam, é importante que saibam que terão um treinamento duro e precisarão realmente moldar suas vidas para serem dignos de receber a iluminação individual, que é a meta primeira de nossa organização. Vocês são especiais, mas precisam, mesmo assim, ser melhores do que são agora.

– Achei que iríamos poder pensar pelo menos mais um pouco. Decidir assim, às pressas – falou Clarice – não é muito prudente! Geralmente, o Gustavo é o indeciso e eu, a precipitada. Mas parece que dessa vez as coisas se inverteram. Pela cara do meu irmão, já sei que ele tá louquinho para aceitar.

– Talvez, se você soubesse a respeito das coisas que eu tenho sonhado, entenderia por que tenho tanta certeza dessa decisão – falou Gustavo.

– Então conta logo os teus benditos sonhos, guri!

3
OS SONHOS
DE GUSTAVO

GUSTAVO FECHOU OS OLHOS POR UM MOMENTO. Clarice conhecia o irmão e sabia que ele era dado a dramatizar as situações, mas, desta vez, realmente sentiu que, ao fechar os olhos, Gustavo estava com certeza relembrando alguma coisa que havia causado um profundo impacto sobre ele e que o preocupava profundamente. Ainda de olhos fechados, Gustavo começou a explicar seus sonhos:

– Esses sonhos têm se repetido por diversas noites nos últimos três meses. Apesar de não serem sempre iguais e, às vezes, até opostos, tratam sempre dos mesmos temas. Eu me encontro na plateia de uma grande arena medieval, no estilo do Coliseu. Na arena vejo duas figuras que não consigo distinguir a princípio, mas, como se meus olhos fossem dotados de alguma espécie de zoom, os personagens rapidamente se aproximam e percebo que são dois gigantes mitológicos, um Centauro e um Minotauro. Ao soar uma trombeta, começa o embate. Mãos seguram chifres, cascos desferem coices, os gigantes rolam e se enrolam em um combate cheio de sangue e violência. Até esse ponto, os sonhos são sempre iguais, mas, a partir daí, as variações começam. Por vezes, o Minotauro leva a vantagem e o Centauro acaba morto. Outras vezes, o Centauro leva a vantagem e sufoca o Minotauro, mantendo-o sob as patas. Em uma, dentre outras variações, o sonho acaba com o vitorioso arrancando o coração do derrotado com as mãos. Seja quem for que ganhe a luta, à medida que ela ocorre, eu, aos poucos, começo a tomar parte nela. No final, quando o vitorioso se deleita com a vitória e grita de contentamento, ele não é mais um estranho para mim. Nesse momento, eu vejo através de seus olhos e sinto o que ele sente, independentemente do vitorioso; sou eu quem está no meio da arena gritando de satisfação. Geralmente, nesse ponto, acordo suado e com tremores.

– Uau!!! – gritou Clarice. – Isso é que é sonho!

– Apesar de parecer bacana quando alguém conta ou se assistíssemos no cinema, não é nada agradável passar por isso. A situação parece tão real que até acordado sinto o cheiro de sangue. Acho que se precisasse saberia até mesmo tirar o coração de alguém, tamanha é a riqueza de detalhes que presencio durante o sonho.

Após Gaspar e Jethro trocarem significativos olhares, Gaspar retomou a palavra:

– Realmente! Agora esses sonhos devem fazer mais sentido para você. Sei que algumas partes devem te deixar um pouco incomodado, mas não te preocupes demais com isso no momento. Outros Guardiões já tiveram sonhos semelhantes; no tempo certo, você entenderá com mais precisão o que essas visões e sinais significam.

Gustavo pareceu um pouco mais aliviado. Achou melhor não revelar no momento, mas havia outras variações do sonho que entendia bem menos e achava ainda mais perturbadoras. Apesar de Clarice achar que ele estava "louquinho para aceitar", na verdade o que Gustavo sabia era que precisava de respostas, e o melhor caminho para obtê-las era se juntando a quem as tinha. É certo também que ele via nisso uma oportunidade de se encaixar em alguma boa causa. Fazer parte de uma organização que visava àquilo que eles afirmavam buscar era a oportunidade de uma vida.

— Eu já tomei a minha decisão, mas não me parece justo que Clarice tenha que me seguir sem que tenha tido experiências do mesmo tipo. Não existe a possibilidade de uma espécie de... estágio? – a última palavra foi dita como se Gustavo estivesse se desculpando por fazer um pedido desses.

— Bom – disse Gaspar –, não é comum fazermos dessa maneira, mas já houve precedentes até mesmo com pessoas deste Núcleo – Jethro sorriu, Alexandre, porém, pareceu contrariado. – Jethro será o instrutor e acompanhante de vocês em sua primeira tarefa. Em breve diremos quais serão suas ocupações na Ordem; apesar de Gustavo já possuir o título de Guardião, só poderão manter o título e os privilégios que lhes serão confiados se ficarem definitivamente conosco.

Clarice havia gostado da sugestão de Gustavo por acreditar que não seria aceita, mas quando Gaspar concordou quase sem hesitar, a menina se viu, de novo, diante da necessidade de tomar a tal decisão. Tomada por um impulso meio inconsequente, se ouviu dizendo:

— Pra mim está bom, então.

— Pra mim também – completou Gustavo.

– Como Guardião e acompanhante, vocês precisam continuar a tarefa que começaram – continuou Gaspar.

– Mas você disse que...

– Eu sei. Vocês não podem mais guardar o Artefato Médio, mas, a cada geração, o Guardião, e no nosso caso acompanhado pela sua irmã, tem também uma outra tarefa. Segundo a tradição, a única forma de neutralizar os Artefatos é reuni-los, reencaixá-los, já que fazem parte de um mesmo objeto, e depois levá-los a um determinado lugar. Algumas lendas falam sobre um lugar de luz, outros sobre um local de conhecimento e há ainda algumas lendas que falam sobre um espaço onde "as mentes são iluminadas". Não sabemos se é um endereço específico ou qualquer lugar que reúna essas qualidades. Acreditamos que os núcleos da nossa Ordem podem ser um desses espaços. Descobrir isso é parte da tarefa de vocês.

– Por que vocês não fizeram isso antes? Quer dizer, o Artefato Menor só foi perdido, ou tomado de vocês, há uns 25 anos, não foi?

Gaspar e Jethro se olharam. Jethro fez que "sim" com a cabeça.

— Somos nós que estamos falando com vocês hoje por um motivo específico. Eu era o Guardião anterior do Artefato Médio, e Jethro o foi antes de mim.

Nesse momento, Jethro arregaçou as mangas e mostrou cicatrizes que subiam de seus pulsos até o alto do braço e, provavelmente, até os ombros.

— Foi no tempo de Jethro que o Artefato Menor foi tomado de nós, na verdade. Havíamos acabado de encontrar o Artefato Maior e Jethro fora, então, encarregado de fazer a neutralização. Antes mesmo que fosse possível reunir os dois Artefatos que possuíamos ao que havíamos descoberto, alguém de dentro da Ordem dos Centauros, um traidor, revelou à Ordem inimiga a nossa intenção e o trajeto que faríamos até o terceiro Artefato para proceder à neutralização. Jethro foi encontrado e perseguido. Apesar de ter sido acompanhado por vários outros membros de nossa Ordem, muitos agentes dos Minotauros atacaram e Jethro acabou ficando cara a cara com um deles, o único que conseguiu passar pelo nosso bloqueio. O Minotauro se jogou contra Jethro e os dois lutaram pelos Artefatos. No calor da batalha, os Artefatos começaram a liberar uma estranha energia que foi a causa das queimaduras de Jethro; o outro sujeito ficou em pior estado, mas conseguiu fugir levando o Artefato Menor. Os Minotauros também tiveram outras perdas consideráveis ao final desse episódio: ao utilizarem todos os recursos humanos e materiais que possuíam no estado para obter o Artefato, todo o seu efetivo foi morto ou ficou incapacitado, a sede deles foi descoberta pelos nossos agentes, invadida e tomada, tornando-se mais uma sede ou Núcleo dos Centauros em Porto Alegre. Porém eles conseguiram o que se propuseram a fazer: obtiveram pelo menos um dos Artefatos. Desde lá temos esperado que chegue o momento certo de procurarmos o que nos foi tomado para fazer a neutralização, libertando a humanidade dessa ameaça. Sabíamos que, mais cedo ou mais tarde, os Minotauros voltariam para tentar cumprir seu intento na totalidade. Eles ainda são fortes em outros países da América do Sul e do mundo e um dia iriam se mobilizar para retornar a Porto Alegre atrás dos Artefatos. A minha época de Guardião veio e foi embora mais rápido do que se esperava, e ninguém da liderança da nossa Ordem autorizou a busca do Artefato roubado para fazermos a neutralização, nem tampouco os Minotauros se manifestaram. Você recebeu, inconscientemente, o Artefato Médio há dois anos, quando tinha 15 anos. Esperávamos que você em algum momento entrasse para a nossa Ordem e, depois, lá pelos 35 ou quarenta anos, soubesse da história toda. Porém, os Minotauros descobriram o paradeiro do Artefato Médio e tivemos que pular etapas, por isso você está tendo que aprender tudo de uma vez só. A maioria dos Centauros não sabe da existência dos Artefatos, os mais estudiosos leem em nossos registros, mas acreditam que são apenas lendas. Pela primeira vez, em séculos, alguém que ainda não é membro da Ordem toma consciência da sua posição de Guardião. Tanto Jethro quanto eu recebemos os Artefatos quando jovens e entramos para a Ordem mais maduros; só mais tarde tomamos conhecimento daquilo que guardávamos. Jethro recebeu os Artefatos incrustados em uma escultura e eu recebi o Artefato que sobrou como peso de papéis.

– Pouco antes de vocês chegarem aqui – cortou Alexandre, impaciente –, recebemos do Alvo Presidente da nossa Ordem a mensagem de que chegou o momento de realizar a neutralização dos Artefatos e que são vocês que irão fazê-la. Gostaríamos de enviar alguém mais experiente, mas só o Guardião pode desempenhar essa tarefa. Historicamente, somente ele pode manipular os Artefatos sem ser corrompido, apesar de eu discordar disso.

– Sabemos muito bem da sua posição, Alexandre – disse Gaspar, ríspido –, e você sabe que só está participando dessa conversa por ser um especialista no assunto.

Um clima de tensão se formou no ar. Todos ficaram meio constrangidos. Clarice logo percebeu que entre aqueles dois havia ocorrido muitas discussões sobre o assunto. Antes que o constrangimento se tornasse embaraçoso demais, Jethro resolveu falar, pela primeira vez:

– Amigos, já é tarde e estamos todos cansados, Gustavo e Clarice mal se aguentam em pé. Que tal se os deixássemos dormir para amanhã começarmos o treinamento deles? E não se esqueçam de que sou eu quem vai acompanhá-los em algumas das instruções, e um "velhinho" como eu precisa de uma noite bem-dormida para não ficar ranzinza demais no dia seguinte.

Gustavo ainda tinha milhares de perguntas, bem como Clarice, mas diante da situação e do que lhes fora confiado realizar, dormir agora era o melhor a fazer. A essa altura, as duas horas de sono que Clarice havia perdido comprometeriam o seu humor se não fossem logo para casa. E Gustavo aceitava enfrentar os Minotauros, mas não o mau humor da irmã.

4
NA SEDE DOS CENTAUROS

No dia seguinte, tanto Gustavo quanto Clarice mal conseguiram prestar atenção nas aulas da escola e do cursinho. Além de estarem morrendo de sono e, no caso de Clarice, com um profundo mau humor, não conseguiam se concentrar no que os professores diziam. A mente deles ficava relembrando o episódio da noite anterior e as palavras de Gaspar e Alexandre. Parecia que tudo não passara de um sonho. Mas quando tocavam nos músculos doloridos e apalpavam os hematomas causados pela briga com o Touro se convenciam de que tudo havia realmente acontecido.

Havia sido prometido a eles um fim de semana de treinamento antes de efetivamente começarem a tal missão. Decidiram não expor para a tia, no momento, toda a situação em que se encontravam e as loucuras nas quais estavam se metendo. Sob protestos, Gustavo foi coagido por Clarice a inventar um fim de semana alegre na fazenda de um colega de classe. "Nós dois vamos estar sempre juntos, tia. O que de mal pode nos acontecer se cuidarmos um do outro como sempre fizemos?", argumentou Clarice quando falou com a tia por telefone. Curando uma ressaca das brabas, a tia Alba achou mais do que razoável o pedido e permitiu sem maiores contratempos.

Após o almoço, Ben Hur novamente os levou até a sede subterrânea, no subsolo da Praça da Matriz, o Núcleo Porto Alegre 1, para receberem oficialmente as primeiras instruções. Ficaram sabendo que a efetiva liberação para a neutralização dos Artefatos se daria em torno de duas semanas. Essa notícia foi recebida com alegria pelos irmãos que, dessa forma, poderiam se familiarizar um pouco mais com a Ordem e com a missão antes de saírem a campo. Decidiram se mudar temporariamente para a sede dos Centauros, principalmente por segurança, mas também porque isso apressaria o aprendizado. Teriam ainda que passar ocasionalmente em casa para não darem a impressão para a tia de terem mesmo se mudado – não pretendiam perder a confiança e aquele apoio desinteressado que ela lhes dava. Um copo sujo de leite na pia, a comida da despensa diminuindo no ritmo da fome dos adolescentes e uma bagunça ocasional em diversas peças da casa dariam a impressão perfeita que a tia precisava para não pensar o pior, como talvez fosse realmente o caso.

Felizmente, as férias do meio do ano estavam prestes a começar, apesar de atrasadas devido a uma greve de professores. Ficariam, portanto, em torno de duas semanas no hotel da Ordem dos Centauros, aprendendo o que todo membro deveria saber: um pouco da história da Ordem, as sedes ou núcleos espalhados pelo mundo, a hierarquia, as primeiras aulas do curso de autodefesa, entre tantas outras informações que deixaram Gustavo preocupado e Clarice irritada.

Já nos primeiros dias, Gustavo, além das aulas, ficava lendo praticamente o tempo inteiro, ao passo que Clarice conversava com todo mundo, entrava em todas as salas que lhe dessem acesso e perguntava tudo que deixassem. Tinham planejado que, ocasionalmente, iriam até o apartamento para dormir ou "aparecer" para a tia, que não parecia estar estranhando nada. Numa dessas visitas tiveram que explicar a janela quebrada na sala, mas poucos são os que resistiam ao arsenal de sorrisos exuberantes de Clarice, e a tia nem percebeu a saída deles quando Clarice ofereceu um sorriso acompanhado de alguma explicação sem noção e a promessa de pagar o conserto, que, é claro, ela iria cobrar da Ordem mesmo que eles não fossem os culpados diretos pelo ocorrido. *Quem mandou deixar o tal Artefato misterioso com o bocó do meu irmão?*

Clarice e Gustavo tinham somente um ano e meio de diferença. Sempre participaram dos mesmos grupos de amigos e da mesma classe na escola. Eram facilmente reconhecidos como irmãos, suas feições semelhantes e os cabelos castanho-claros não os deixavam esconder o evidente parentesco. Parentesco que, por vezes, Clarice tentava disfarçar quando não queria ser reconhecida como a irmã mais nova de Gustavo, ou pior, a irmã "metida" de Gustavo. Ele sabia que a irmã era cheia de personalidade e a admirava por isso. Sua esperteza e agilidade mental já haviam ajudado Gustavo a se livrar de diversas situações embaraçosas e aparentemente sem solução. Clarice era tão esperta que conseguiu ser aceita um ano antes para iniciar a escola, coisa que hoje não seria mais possível, devido a regras bem mais rígidas nesse sentido. Mas naquela época e no interior do estado, essas situações aconteciam. Nas brincadeiras e nos jogos de criança, os dois formavam uma dupla imbatível. Gustavo era calmo e ponderado e guardava na memória todas as informações, regras e retrospectos que podiam ajudá-los durante o jogo ou brincadeira. Já Clarice era ousada, decidida e sabia utilizar as informações de Gustavo como ninguém: com meia dúzia de pistas, sabia a melhor estratégia a adotar ou fazia deduções que ninguém mais conseguia fazer. Eles sabiam que juntos tinham capacidade de realizar maravilhas, mas sempre foram brincadeiras e jogos sem compromisso e sem consequências, não envolviam vidas ou algum tipo de poder verdadeiro. Agora as coisas haviam saído do reino da fantasia, e as consequências eram reais e, possivelmente, fatais.

No domingo à noite, participaram de um grande jantar num dos dois restaurantes do hotel. O restaurante não era muito grande, possuía apenas lugares para trinta ou quarenta pessoas, mas era bem-iluminado por lustres de cristal enormes e pequenas arandelas nas paredes. As mesas eram sólidas, mas mais leves do que aparentavam, bem como as cadeiras estofadas. Todo o resto do ambiente era simples, mas muito bem-decorado. Nas paredes viam-se retratos de antigos membros da Ordem que pareciam fiscalizar os acontecimentos.

Após uma rápida abertura oficial do jantar dando as boas-vindas a Gustavo e a Clarice, tendo ele ficado vermelho e ela com o sorriso até as orelhas, a conversa começou tímida, mas logo tomou conta do local. Pela informalidade da ocasião, as pessoas trocavam de mesa o tempo todo; à medida que a noite prosseguia, formavam-se novos grupos e os irmãos tiveram a oportunidade de conhecer muita gente. Apesar disso, preferiram ficar sempre próximos a Jethro e Ben Hur – os dois inspiravam confiança a eles e os tiravam seguidamente de situações em que temiam falar mais do que deviam, visto que haviam sido apresentados apenas como novos membros da Ordem, sem maiores explicações.

Clarice acabou por dar especial atenção à mesa onde estavam sentados Gaspar e Alexandre. Eles estavam um pouco apartados dos demais e pareciam discutir a mesma questão a noite toda. Gaspar gesticulava e balançava a cabeça, Alexandre várias vezes fez menção de se levantar, mas era impedido por Gaspar. A cena, provavelmente, estava passando despercebida por todos, só mesmo uma "xereta" (e foi assim que Gustavo chamou a irmã quando ela lhe contou a cena mais tarde) como Clarice poderia ter percebido a discussão entre os dois.

5
O PRÊMIO QUÍRON

Na segunda-feira pela manhã e pelos dias que se seguiram, os dois continuaram as aulas e as leituras. Jethro e Ben Hur acompanhavam os irmãos o tempo todo. Jethro havia desenvolvido um real interesse pelo progresso dos dois novos membros da Ordem, por isso procurava lhes indicar as leituras que deveriam fazer, os minicursos permanentes oferecidos pela Ordem que deveriam frequentar e os colocava em contato com vários outros membros antigos que podiam lhes ensinar coisas úteis.

Ben Hur também se preocupava com os dois, mas demonstrava ainda um interesse indefinido pelos irmãos. Era pouco mais velho que Gustavo e tinha os mesmos interesses que o rapaz, o que os levou a desenvolver uma grande amizade, mas o Guardião acreditava que os olhos amendoados de Clarice, em seu tom de mel-esverdeado, acabaram exercendo outro tipo de atração no jovem Ben Hur. Gustavo fizera certas insinuações a Clarice que a deixaram furiosa. Apesar disso, ele continuava com o palpite de que Ben Hur, mesmo não demonstrando em nenhum momento uma amizade maior por Clarice, nutria certos sentimentos, os quais talvez nem ele mesmo ainda houvesse percebido. Acreditava que o mesmo se dava com Clarice.

Na hora do almoço, os quatro estabeleceram a tradição de comer sempre juntos. Sentavam no refeitório e comentavam o progresso dos estudos e as novidades. No meio da primeira semana, Ben Hur contou animadamente a notícia que, segundo ele, era a mais importante da semana:

– Vocês realmente tiveram sorte de estar aqui justamente nesta época!

– Que época? – perguntou Clarice, não dando muita importância para o entusiasmo de Ben Hur.

– A época do Prêmio Quíron! Vocês sabem quem foi Quíron, não?

Gustavo assentiu que sim, mas como Clarice não se manifestou, Ben Hur resolveu dar uma pequena explicação:

– Quíron foi um famoso centauro da mitologia grega. Era um sábio em várias áreas do conhecimento, mas principalmente na área da medicina.

Quíron desfez a imagem de que os centauros eram seres selvagens e agressivos e possibilitou que fossem vistos com outros olhos e capacidades. Era dotado de grande argúcia e inteligência. Tinha também o dom da imortalidade, o qual foi obtido devido a sua inigualável sabedoria. Vários heróis gregos foram treinados por ele. Em homenagem a essa lenda, demos o nome ao prêmio.

– Prêmio de quê? – perguntou Gustavo.

– A cada quatro anos e quatro meses, a Ordem dos Centauros organiza uma copa em que é disputado o Jogo do Centauro; ao vencedor é dado o Prêmio Quíron. Nos próximos sete dias, estará sendo realizada a 166ª Copa Quíron e, este ano, nossa sede irá receber os oito participantes classificados para a disputa, representando as sedes de todo o mundo. Em todas as edições, esta é somente a segunda vez que sediamos o evento. Não é demais?! – Ben Hur exultava.

– É – disse Clarice, sem levantar os olhos da comida.

– Quatro anos e quatro meses é um período de tempo um pouco incomum para realizar uma copa, não é? – perguntou Gustavo.

– Os antigos Centauros estabeleceram assim. Mas o motivo é que a luz da estrela mais brilhante da Constelação Centaurus, a Alpha Centauri, demora aproximadamente este período de tempo para chegar à Terra. Dessa forma, a cada quadriquadriênio (é assim que chamamos o período), oito representantes dos países onde existem sedes da Ordem dos Centauros em todo o mundo se reúnem para a disputa. E caso interesse a vocês, eu me classifiquei representando o Brasil.

– Puxa! Meus parabéns, meu camarada! Um dos oito melhores do mundo, hein? Não é pra qualquer um! – disse Gustavo, já adorando o fato de terem aquele campeonato importante ali mesmo onde eles estavam.

– Parabéns! – disse Clarice, sorrindo, meio sem jeito por não ter entendido antes a importância que aquilo tinha para Ben Hur.

– Legal! Agora só precisamos saber o que é esse tal de Jogo do Centauro – observou Gustavo.

– Deixa que eu explico – falou Jethro, que até então só observava e sorria. – Basicamente é um jogo criado pelos Centauros para dar aos membros da Ordem a oportunidade de serem testados em situações reais de campo em um ambiente seguro. O jogo simula todo tipo de situação de combate, seja no campo físico, no espiritual, no intelectual ou no emocional. Os combates são simulados por meio de cartas e dados. Algumas vezes, são utilizados tabuleiros ou outros acessórios.

– Ah! Então é um jogo de salão! – falou Clarice, parecendo mais animada. – Pensei que era algum tipo de esporte, só de pensar já tinha ficado cansada.

– Sim, é um jogo de salão, Clarice. Mas não pense que não é cansativo! Cada partida dura, geralmente, uma hora, mas é uma hora bem exigente. A preparação também é exaustiva. No ano da Copa, são feitas diversas seleções em nível regional até ser escolhido o representante de cada país. Além disso, para saber as habilidades e as capacidades que cada participante poderá utilizar durante o campeonato, são feitos diversos testes com cada um. Eles passam por avaliações físicas e intelectuais, são considerados todo o seu histórico na organização, o título e grau que eles ocupam na Ordem. Configura-se, assim, um perfil a ser utilizado pelo competidor durante a Copa. Existem jogos semelhantes hoje em dia, mas este já é utilizado há quase um milênio pela nossa

Ordem e retrata situações bem mais reais. A experiência nos ajudou a aperfeiçoar o jogo de forma que ele seja o mais fiel possível às situações reais enfrentadas pelos nossos membros; muitos deles aproveitam os conhecimentos adquiridos no jogo em suas vidas pessoais e a serviço da Ordem. É um ótimo treinamento, e eu pretendo incluir esse jogo na grade de estudos de vocês.

– Chega de teoria! – disse Ben Hur. – Vocês precisam ver com os próprios olhos. Amanhã à noite teremos a primeira rodada, e eu espero que vocês estejam na minha torcida!

Gustavo podia jurar que Ben Hur desviou levemente os olhos em direção a Clarice ao pronunciar as últimas palavras.

* * *

O resto daquele dia e o dia seguinte passaram rapidamente. Gustavo e Clarice acabaram entrando no clima da competição. Os membros da Ordem, alheios à questão do Guardião e dos Artefatos, só pensavam nos jogos e disputavam partidas informais em qualquer mesa que estivesse vazia. Gustavo e Clarice prosseguiam os estudos e aguardavam o tempo certo para a neutralização, mas, apesar da tensão que isso representava, se permitiram alguns momentos de diversão debatendo e assistindo às partidas informais do Jogo do Centauro enquanto aguardavam as partidas oficiais pela Copa Quíron.

Quando chegaram ao salão de jogos à noite, ele já estava praticamente lotado. Não era grande demais a ponto de tornar o local impessoal, pelo contrário, apesar de conter aproximadamente quatrocentas pessoas e estar sendo transmitido via satélite, com sinal codificado, para todas as sedes do mundo, havia no local uma sensação de familiaridade entre as pessoas, como se todos estivessem visitando a casa de algum parente chegado. O clima era de uma partida de xadrez. Geralmente se esperaria gritaria e tumulto numa atividade dessas, mas não era o que acontecia naquele salão. Os quatrocentos lugares, dispostos em quatro fileiras em cada uma das quatro paredes da sala quadrada no estilo arquibancada, estavam ocupados por pessoas que pareciam estar frequentando um serviço religioso ou um espetáculo teatral. A plateia sussurrava baixinho e aguardava as quatro mesas centrais serem ocupadas pelos competidores. No teto,

16 telões de LED inclinados mostrariam a todos os detalhes dos combates. Ao se aproximar o horário do início das partidas, a luz do ambiente foi diminuindo gradualmente. Na plateia havia pessoas de todos os países participantes.

A mesa 1 foi ocupada pelos representantes da Venezuela e da Itália; a mesa 2, pelos representantes da China e da Eslovênia; a mesa 3, por Ben Hur, representando o Brasil, ao lado do representante japonês; e a mesa 4, pelos representantes da França e da Índia.

Alguns membros que não estavam representados nos oito países finalistas também estavam presentes e adotaram o competidor do país que mais lhe era simpático. Muitos deles trabalhavam naquela sede ou simplesmente se encontravam de passagem pela cidade nas mais diversas missões a serviço da Ordem. Gustavo, há alguns dias, havia reparado que alguns deles falavam um português fluente, apesar de terem um certo sotaque. Questionando Jethro sobre isso, na ocasião, recebera a explicação de que essa era uma habilidade que os membros da Ordem também eram incentivados a desenvolver. Chamava-se Chave das Línguas e era conquistada ao longo do aperfeiçoamento pessoal do membro e, em alguns casos, era um dom natural. Ao ser recebido ou desenvolvido, esse dom dava quase imediata fluência na língua em questão, bastava uma hora ou duas de dedicação ouvindo o maior número de frases e palavras na língua desejada e *voilà*: o indivíduo podia sair conversando com qualquer nativo daquele país sem se apertar em nada. É claro que existiam diferentes graus de desenvolvimento desse dom, mas em linhas gerais funcionava desse jeito.

Depois dessa primeira rodada, só haveria as semifinais no sábado seguinte; a final e também a disputa de terceiro e quarto lugares, aconteceriam na quarta-feira posterior.

Os competidores já estavam sentados frente a frente em suas mesas. O confronto de Ben Hur com o japonês era o mais esperado, visto que a maior parte das pessoas torcia pelo representante local. Kazuo era um jovem japonês de 24 anos de idade. Aparentava ser ainda mais novo, mas não tinha a estatura baixa como geralmente se imaginava em um oriental. Regulava em altura com Ben Hur e provavelmente tinha a musculatura mais desenvolvida. Quanto às outras capacidades e habilidades, era impossível saber naquele momento. É possível que membros mais dedicados ao jogo o conhecessem melhor, mas geralmente os competidores eram desconhecidos do grande público. Ao soar o sinal de início das partidas, houve um momento de excitação maior. Logo em seguida, sucedeu-se um grande silêncio de expectativa, aguardando que os juízes de cada mesa apresentassem o cenário em que cada confronto se daria.

Além do jogo em si, o que fascinou os irmãos foi a questão artística envolvida na criação dos acessórios. As cartas eram confeccionadas em um tipo de papel de alta gramatura e adornadas com bordas trabalhadas por excelentes artistas plásticos, que empregavam seus talentos de forma a dar uma aparência de requinte aos desenhos. Tinham as dimensões um pouco maiores que as cartas normais de baralho e mediam em torno de 8 X 12 centímetros. Ninguém estranharia se visse uma daquelas cartas num antiquário. Os desenhos lembravam aqueles feitos em livros da Idade Média. Cada carta, apesar de ser produzida em série a partir dos desenhos originais, tinha a aparência de ser uma raridade, um artigo de colecionador. Certas cartas haviam sido redesenhadas ao longo dos anos, e quem possuía as versões antigas as guardava como se fossem preciosidades. Também existia o fato de que algumas habilidades eram raramente desenvolvidas e, dessa forma, quem as desenvolvia recebia a carta da habilidade produzida especialmente para aquele indivíduo. Independentemente dos membros serem praticantes do jogo, todos recebiam as cartas que serviam como certificados das habilidades que possuíam, dos títulos que conquistavam, dos eventos que participavam ou das situações que enfrentavam.

Minutos antes de soar o sinal de início das partidas, Gustavo e Clarice receberam, cada um, um envelope de um mensageiro que se retirou rapidamente. Gustavo descobriu dentro do envelope duas cartas: uma com a figura de um Centauro e outra com a ilustração de um homem guardando três pedras nas mãos com a legenda "Guardião" ao pé da carta. As cartas tinham também alguns números e inscrições nas bordas. Clarice recebeu somente a carta do Centauro. Junto com as cartas, ambos receberam o seguinte bilhete escrito à mão numa caligrafia antiga:

Caro novo membro da Ordem dos Centauros,

Acabaste de receber a(s) primeira(s) de muitas cartas/certificados que irás ganhar ao longo da tua vida. Essas cartas representam o teu progresso na Ordem ao passar dos anos. Servem também como auxílio para que possas registrar e ser registrado em todos os teus feitos e conquistas dentro da Ordem dos Centauros e da tua vida. Guarde-as bem. Haverá o dia em que elas poderão tirar-te de alguma situação difícil.

Bem-vindo à Ordem dos Centauros.
Abraços,

Dario Prows
Alvo Centauro

Não puderam dar muita atenção ao presente, pois logo começava a partida de Ben Hur.

Gustavo surpreendeu-se ao ver Jethro como um dos juízes. No confronto de Ben Hur e Kazuo, o juiz era um indiano com aproximadamente a mesma idade de Jethro. Após soado o sinal, o juiz sorteou a primeira carta que definia a modalidade do combate. A carta sorteada apresentava a ilustração e a legenda referentes à modalidade Parceria. Entre outras, uma das opções que proporcionavam combates mais emocionantes era a de Confronto Direto, mas a de Parceria proporcionava outro tipo de jogo. Essa modalidade previa que houvesse cooperação entre os participantes, ainda assim, um dos dois teria um desempenho melhor. Era um confronto que exigia mais inteligência e perspicácia e não tanta força física, servia para revelar aqueles que colocavam o seu bem-estar pessoal acima dos interesses da Ordem, já que a cooperação e o desprendimento eram essenciais nessa modalidade. Mesmo que os participantes soubessem disso, mais cedo ou mais tarde acabavam por tomar alguma decisão que comprometia a missão a fim de se preservar, expondo o que realmente levavam no coração e na mente. Todos passavam por essa fase, mas quem vencia esses impulsos egoístas prosseguia acelerado no progresso individual.

A próxima carta sorteada pelo juiz referia-se ao ambiente onde iria se desenrolar a aventura.

Deserto. Era um dos ambientes mais temidos, nada ou qualquer elemento poderia ser encontrado em um deserto.

A seguir viriam as cartas que definiriam os adversários, obstáculos e situações a serem enfrentadas pelos, então, oponentes parceiros. Sucedeu-se, por parte dos adversários e do juiz, uma sequência de cartas que Gustavo teve dificuldade de acompanhar. Via as cartas e as gravava na mente, mas não entendia o que elas representavam ou por que eram mostradas. Mostraram-se cartas dos mais diversos tipos. Entre elas a Voz, Chave das Línguas e Escape, que Gustavo logo associou a ensinamentos e situações que já tinha vivido e aprendido desde que conhecera os Centauros. Algumas vezes, o juiz consultava o perfil dos competidores para decidir se eles poderiam continuar no jogo depois de terem tomado alguma decisão. Vez por outra, um dado simples era jogado por Ben Hur ou por Kazuo para que o jogo continuasse. Após mais de meia hora de jogo, o juiz revelou uma carta que representava que os participantes enfrentariam um adversário possuidor de dardos envenenados. Nessa hora, Kazuo hesitou. O jogo parou por um momento. Kazuo pareceu tomar a decisão de não agir e ficou aguardando que algo acontecesse. Ben Hur resolveu adotar a estratégia de Parlamentar, que era uma possibilidade que surgia sempre no início de qualquer ataque/defesa; se conseguisse conversar com aquele adversário poderia vencê-lo. Possuía, entre outras, as cartas Voz e Chave das Línguas que poderiam colocá-lo no comando da situação. Apresentou-se para o confronto e, pela indicação da próxima carta desvirada pelo juiz, foi imediatamente alvejado por um dardo envenenado. Não tinha armas para isso, a batalha estava terminada.

Dos outros três confrontos, dois acabaram antes do combate de Ben Hur e um logo depois.

Os participantes aguardavam que os juízes proferissem os resultados. Ninguém esperava uma surpresa, mas algumas vezes os juízes anunciavam resultados diferentes daqueles obtidos na mesa de jogo. Felizmente, para Ben Hur, esta foi uma das vezes. Ele foi anunciado vencedor juntamente com os representantes da Itália, China e Índia. Ben Hur não demonstrava surpresa e conversava sorridente com Kazuo, que balançava a cabeça humildemente como que concordando com Ben Hur sobre o que havia acontecido.

Mais tarde, Jethro forneceu a Gustavo a explicação da situação, que foi ouvida atentamente.

166 copa Quíron
3
166 copa Quíron
3 08:29 4
107 108
03 :17 05
166 - 1.200 - 4 - 82
166 - 1.200 - 4 - 82
166 - 1.200 - 4 - 82
1
1
2
2
3
3

— Na verdade, é até bastante simples, Gustavo – falava Jethro, com ar professoral. – Kazuo pagou pela sua inexperiência. Talvez ele não agisse da mesma forma numa situação real, mas era ele quem deveria ter enfrentado os dardos envenenados do adversário. Porém, hesitou e depois não quis dar o braço a torcer. Ele possui a habilidade de Transmutação de Venenos, o veneno dos dardos não seria grande obstáculo para ele. Por um momento, ele, em vez de agir prontamente por ser a pessoa mais habilitada na situação, resolveu que podia ganhar pontos naquele momento, deixando Ben Hur enfrentar o inimigo com outras habilidades menos indicadas. Depois apareceria como o herói, tirando Ben Hur de uma enrascada usando sua habilidade para derrotar o inimigo facilmente. Provavelmente não contava que alvejar Ben Hur com os dardos fosse a primeira coisa que o inimigo fizesse. Quando Ben Hur agiu com aquele desprendimento, tomando a frente da situação e preservando um parceiro hesitante, venceu o jogo.

— Mas a custo da própria vida! Pelo menos falando virtualmente. Não foi um tanto arriscado?

— Ainda que numa situação real tivesse perdido a vida, demonstrou espírito de equipe e que compreende o verdadeiro objetivo da nossa Ordem. Alguém que morresse dessa forma certamente alcançaria uma iluminação acima do que se poderia alcançar nessa vida pela maioria das pessoas. Além do mais, Ben Hur sabia que Kazuo tinha aquela carta – completou Jethro, sorrindo ao dizer a última frase. – Mas eu acredito que mesmo que não soubesse da carta, agiria da mesma forma – e, após um novo sorriso, finalizou: – Ou não.

6
BEN HUR E RAYUD

Os dias passaram rapidamente, e Gustavo e Clarice conseguiram adaptar-se à rotina na Ordem dos Centauros. Iam com alguma regularidade à casa da tia, conforme haviam planejado, e conseguiram quartos separados, onde podiam ter toda a privacidade que quisessem. Apesar de os quartos terem um bom tamanho e serem mobiliados com bom gosto, davam uma certa sensação de opressão, visto que não possuíam janelas. A sede dos Centauros, mesmo servindo perfeitamente aos interesses da Ordem, tinha também seus inconvenientes. Vez ou outra, quando o sistema de refrigeração sofria alguma pane, alguém passava mal e era obrigado a ser levado às pressas para a superfície. Além disso, era proibido alguém permanecer demasiado tempo ali sem ter uma missão externa. Os irmãos foram descobrindo essas informações aos poucos durante as leituras de Gustavo e as pesquisas "xeretas", segundo Gustavo, de Clarice. Mas ele teve que engolir as críticas a respeito disso quando Clarice conseguiu quartos com janelas que davam para uma espécie de jardim subterrâneo, após fazer amizade com o gerente da hospedagem. O homem teve que mover mundos e fundos para encontrar os quartos que Clarice queria. Com o hotel cheio devido à Copa Quíron, os melhores quartos já estavam ocupados. Felizmente, alguns dos hóspedes de outras sedes iriam ficar pouquíssimo tempo ali e não se preocuparam em escolher os quartos com vista para o jardim.

No sábado, Ben Hur derrotou rapidamente o representante italiano, ficando classificado para disputar a final na quarta-feira seguinte com o representante indiano que, por sua vez, havia vencido o representante chinês.

Gustavo passava as suas horas de tempo livre principalmente na biblioteca. Não era uma biblioteca muito grande, mas possuía livros que, certamente, não encontraria em nenhum outro lugar. Entre eles *A verdadeira história das nações*, *Vida e obra dos melhores Centauros* e *Heróis anônimos*. Fez amizade com Elisa, a bibliotecária, uma moça franzina, mas com grandes olhos azuis, muito vivos e comunicativos. Ela sempre sugeria algum livro novo toda vez que Gustavo passava na biblioteca. Começava a perceber como as cartas/certificados tinham, realmente, utilidades que iam além do jogo divertido de que todos gostavam, pois ao mostrar as suas, a pedido da moça, ela lhe disse que a carta Guardião lhe dava acesso a uma série de livros que não era permitido a todos acessarem.

Após a vitória na semifinal, Ben Hur achou melhor ficar em concentração até a última partida. Sabia da dificuldade que enfrentaria no confronto final e da qualificação de seu próximo oponente. Não estava pessimista, mas precisava ser realista; ainda não estava maduro para vencer uma Copa Quíron, por mais que desejasse e se esforçasse. Simplesmente lhe faltava experiência. Ben Hur acabava de completar 18 anos e precisaria de mais alguns anos de serviço dedicado à Ordem para ter uma chance real de ser campeão. Nas duas primeiras partidas enfrentara adversários que, apesar de qualificados, haviam cometido erros um tanto primários, o que não era comum, dado que os dois países a que pertenciam acumulavam vários títulos na competição. Mas Ben Hur ainda não havia "jogado a toalha", seu adversário precisaria se mostrar merecedor, apesar de tudo o que já se falava dele. O representante indiano, Rayud, era mais velho e bem conhecido no Jogo do Centauro; todos diziam que este era o seu ano, o ano em que seria campeão. Atingira a plena maturidade como Centauro e provavelmente passaria a Arco ao fim da Copa Quíron, independentemente do resultado da competição. Era a gentileza em pessoa, lembrava um pouco, no que se referia ao semblante calmo e sereno e às atitudes pacificadoras, aquele que havia se tornado quase como um pai para Ben Hur desde que ele se tornara um Centauro, seu bom amigo Jethro, como se lembrava dele há quase vinte anos.

Aos oito anos de idade, Ben Hur engraxava sapatos na talvez mais famosa praça de Porto Alegre, a Praça da Alfândega. Ia de pé em pé calçado, perguntando: "Vai graxa?". Um dia abordou Jethro, que passou a ser seu freguês fixo. Aos poucos, Jethro passou a incumbi-lo de tarefas simples e, percebendo a seriedade e inteligência do rapaz, resolveu adotá-lo informalmente. Jethro entrou em contato com a família do menino e descobriu que ele, praticamente, sustentava a mãe e o irmão menor com os bicos que fazia. Recebeu autorização da mãe para bancar os estudos de Ben Hur e passou a dar-lhe tarefas cada vez mais elaboradas. Aos dez anos de idade, Ben Hur ficou órfão e Jethro convidou-o para morar num dos abrigos da Ordem e a trabalhar lá em troca da estadia dele e do irmão. Jantavam seguidamente na casa de Jethro e conheceram uma segunda mãe em sua esposa, que, mesmo sendo mãe de outros três meninos, deu a eles toda a atenção que os dois órfãos necessitavam. Aos 12 anos, Ben Hur já comandava o abrigo em que morava e, no horário inverso ao que trabalhava no abrigo, se mostrava brilhante nos estudos. Mais do que nunca, Jethro percebeu o potencial do rapaz e passou a dar-lhe novas oportunidades de ensino. Ben Hur estudou línguas, artes marciais, música e diversas outras disciplinas com as quais tinha contato. Aos 14 anos, foi apresentado à Ordem e convidado a fazer parte dela. A escolha foi mais do que fácil. Juntamente com seu irmão, El Cid, ingressou na Ordem dos Centauros e fez da organização a sua família. Seu irmão, apesar de distante, trabalhando em outra sede dos Centauros, tornara-se um bom membro da Ordem e um homem de bem. A vida fora surpreendentemente boa para um menino pobre e órfão em uma cidade grande.

Já em seu primeiro ano na Ordem, interessou-se pelo Jogo do Centauro e teve um ótimo mestre. Jethro usava o jogo para perceber e corrigir as deficiências no entendimento e no caráter de Ben Hur. Somente depois de quatro intensos anos, Jethro considerou-o apto a participar da competição. Tudo o que Ben Hur aprendera na Ordem viera por meio da orientação de Jethro.

Sendo assim, vendo Jethro no semblante de Rayud, mal podia considerá-lo um adversário.

* * *

Alexandre cruzava com os irmãos seguidamente. Clarice não fazia força para ocultar uma ponta de antipatia que sentia em relação a ele; Gustavo, porém, o tratava muito cordialmente e não demonstrava nenhum desconforto na sua presença. Não tinha por hábito "pegar no pé" de ninguém, no entanto precisava admitir que havia ficado com uma certa desconfiança em relação a ele e ainda não chegara a uma conclusão sobre seu caráter ou suas intenções. Gostaria de falar sobre isso com

Gaspar, mas não tinha tido a felicidade de encontrá-lo de novo.

Gaspar estava envolvido com a organização da Copa e com todas as questões derivadas desse evento, desde alojamento e alimentação para todos os visitantes até os detalhes técnicos da transmissão das partidas para as sedes dos Centauros no mundo todo; em função disso, viram-no poucas vezes nos dias que se seguiram na sede subterrânea.

* * *

Apesar de Jethro quase não tratar do assunto dos Artefatos com Gustavo e Clarice naquelas duas semanas, os irmãos sabiam que ele estava envolvido profundamente na questão. Tinha apenas outro compromisso ao qual também se dedicava, em uma determinada hora do dia, sempre um pouco antes do almoço. Por volta desse horário, Jethro desaparecia misteriosamente, carregando em um saco plástico dois sanduíches de atum, e meia hora depois voltava a aparecer, dizendo que tinha ido resolver alguns assuntos importantes de ajuda humanitária, dando o assunto por encerrado. Passava também um bom tempo na biblioteca e na sala de informática em busca de algo que lhe desse alguma nova informação sobre o paradeiro dos Artefatos ou dos Minotauros. Algumas vezes, Gustavo e Clarice ajudavam Jethro nessas pesquisas.

A final da Copa Quíron foi um emocionante jogo de uma hora e 17 minutos. Conforme as previsões, fizera-se justiça. Rayud recebera o Prêmio Quíron, uma bonita taça banhada a ouro com um Centauro em alto-relevo, e a colocação, na galeria e no livro da fama do Jogo do Centauro, com direito a fotos e tudo o mais. Juntamente com a taça, Rayud recebeu uma carta certificando-o como campeão da Copa Quíron daquele ano e, o que o deixou mais feliz, a carta de Arco.

Todo esse reconhecimento em torno de Rayud rendeu a Ben Hur alguns méritos – todos lembrariam do Centauro que fez Rayud suar na última partida da Copa Quíron em que ele foi campeão. Ben Hur, ao contrário de parte da torcida, estava extremamente feliz e não se sentia nem um pouco chateado por não ter atingido o primeiro lugar; entendia o imenso progresso que demonstrara ao conseguir aquela segunda colocação.

* * *

O final da competição foi festejado por todos os residentes e visitantes do Núcleo Porto Alegre 1. No sábado, quase todos já haviam ido embora para seus respectivos países e cidades, com exceção de alguns membros que ainda tinham assuntos para resolver em Porto Alegre e de Rayud, que resolvera ficar por mais alguns dias.

Para o fechamento daquela semana especial foi organizado outro jantar no domingo à noite. Praticamente todos os membros da sede participaram, assim como alguns visitantes remanescentes da Copa Quíron. Rayud e Ben Hur conversavam animadamente. Gaspar, Alexandre e Jethro sentaram na mesma mesa e, ao contrário das outras vezes, o ambiente era de descontração.

Apesar do clima festivo, Clarice pouco aproveitou o jantar que se estendeu até depois da meia-noite, quando o encontro finalmente se deu por encerrado. Gustavo estava relativamente calmo, ao passo que Clarice não parava de falar de tão nervosa. Havia percebido que, na manhã seguinte, começaria a empreitada de busca e neutralização dos Artefatos.

7
ESPECTROS

GUSTAVO ACORDARA MAIS TARDE DO QUE GOSTARIA. Ao levantar, já encontrou Clarice de pé, caminhando de um lado para o outro. Ficou sabendo que ela não conseguira dormir de tão ansiosa. Já eram seis da manhã, e eles haviam combinado com Jethro de sair às sete. Depois de um banho relâmpago, Gustavo e Clarice foram ao refeitório tomar o café da manhã e encontraram Jethro e Ben Hur conversando.

– Espero que estejam se sentindo bem hoje de manhã! – falou Ben Hur, quando Gustavo e Clarice sentaram à sua mesa. – Vocês vão ter um bocado de trabalho e movimentação durante todo o dia de hoje.

– Eu me sinto muito bem, muito bem mesmo! – disse Gustavo. – E depois do café, vou me sentir ainda melhor.

Clarice manifestou-se dando algo semelhante a um grunhido.

– Nem todos parecem estar muito dispostos – comentou Jethro. – Pela cara da Clarice, a noite não foi muito agradável.

Outro grunhido.

– Mas, vamos, alimentem-se bem. Apesar da minha idade já um pouco avançada, não é qualquer um que consegue acompanhar meu ritmo. Se bem que o trabalho pesado vai ficar por conta de vocês. Finalmente, o momento que nós esperávamos havia décadas chegou. Hoje vamos fazer um dia de coleta de informações, o início da nossa investigação de campo para descobrir o paradeiro do Artefato Menor. Nestas últimas duas semanas pesquisei exaustivamente a questão e obtive poucas, mas interessantes, informações. Sabemos que os Minotauros estão novamente se organizando e devem tentar mais alguma investida criminosa ainda esta semana. Eles querem, a todo custo, descobrir onde está o Artefato Maior e tomar posse dele. Querem também se infiltrar nos nossos núcleos e conseguir acesso ao cofre para adquirir o Artefato Médio, o que significa que ninguém da nossa Ordem estará em segurança por um bom tempo. Portanto, espero que, até o final da semana, tenhamos dado um jeito no problema. Até lá, dormir bem vai ser um luxo que não vamos ter!

Gustavo sorriu, satisfeito. Clarice dormia encostada à cadeira do refeitório.

* * *

Depois de meia hora de sono no refeitório, Clarice já parecia mais apresentável. O mau humor matinal era o de sempre, mas havia parado de grunhir. Vestindo roupas comuns, deixaram o Hotel dos Centauros e saíram a pé, andando pelo Centro de Porto Alegre; Ben Hur saíra antes sem dizer aonde ia.

– Como eu disse, a primeira tarefa do dia é uma simples coleta de informações. Vamos começar fazendo contato com alguns espectros – disse Jethro, esperando a reação.

Clarice e Gustavo se olharam. Jethro, percebendo a incredulidade deles, resolveu atiçar um pouco mais a curiosidade.

– Isso mesmo, espectros! Não sabem o que é um espectro?

– Espíritos? Gente morta? – perguntou Clarice, temerosa.

— Sim e não. Na verdade, isso de se comunicar com espíritos não é tão simples assim. Não digo que não aconteça, mas, na maioria das vezes, aquilo que designamos como espíritos, tecnicamente, não o são. Ao longo dos anos de estudo na Ordem, vocês vão aprender as sutis diferenças e entender que, geralmente, quando as pessoas morrem, não vêm mais perturbar os vivos. Somente em casos especiais algum espírito é autorizado a se comunicar conosco. Espectros têm a ver com gente morta, mas não são espíritos.

— Como assim? – perguntou Gustavo.

— Vou dar um exemplo fácil utilizando a linguagem do mundo digital de vocês. Se os dois sentarem em frente a um computador e derem certos comandos por meio do teclado ou do mouse, vão obter algumas respostas. Tudo isso porque existe um software programado para responder dessa maneira. Esse software está gravado no disco rígido do computador, não é isso?

— Acho que é mais ou menos isso mesmo – respondeu Gustavo.

— Bom, todas as criações humanas são cópias, em menor escala, de coisas que existem no universo.

Existem outras formas de gravar informações e escrever programas. Em primeiro lugar, qualquer matéria é passível de ser ordenada de forma a guardar informações. Em materiais de origem mineral, isso se dá com mais facilidade e de forma mais duradoura. Uma simples pedra pode servir como um disco rígido do universo. Está dando pra entender?

– Mais ou menos – disseram Gustavo e Clarice em conjunto.

– Resumindo, então, fatos que se repetem muitas vezes vão sendo escritos e gravados nos HDs da Terra. Prédios, estradas, montanhas, lápides e outros objetos compostos de matéria mineral servem de reservatório de emoções ou de hábitos de pessoas que viveram aqui. Tais hábitos ou emoções acabam sendo armazenados nesses materiais e, pela repetição ou intensidade, "escrevem" programas que são constantemente executados nesse ambiente operacional que é a Terra. Pessoas que morreram dramática ou violentamente, ou que têm hábitos intensos ou muito repetitivos escrevem seus programas nesses materiais e são vistas mesmo após a morte. Esses programas, ou espectros, são limitados, mas, como qualquer programa de computador, podem responder a certos comandos, estímulos ou perguntas, fornecendo, dessa forma, as respostas que estiverem dentro de sua programação. Geralmente essas gravações vão sendo apagadas com o tempo, mas muitas duram centenas de anos. O mais interessante é que esses espectros agem como as pessoas que os geraram e acreditam ser as próprias, apesar de serem um mero programa. Inclusive esse é um assunto muito delicado para um espectro, algo que nunca deve ser tratado nem por alto com ele, ou perdemos qualquer chance de obter alguma informação.

Gustavo e Clarice ficaram calados, meditando sobre as últimas informações.

— Mas chega de teoria. Vamos à prática. Vocês vão conhecer um dos espectros mais famosos de Porto Alegre. Como está o fôlego de vocês?

8
MOACIR, O MARATONISTA

A última pergunta de Jethro havia deixado Gustavo bastante curioso. Os três desciam agora a rua da Ladeira rumo à avenida Mauá. Essa avenida margeava a área do porto da cidade. A famosa Maratona Internacional de Porto Alegre a utilizava em seu trajeto. Durante o tráfego normal do dia a dia, era meio arriscado correr pela avenida, mas, mesmo assim, alguns se arriscavam.

Ao chegarem na Mauá, Jethro parou de repente e consultou o relógio.

– São quase 15 para às oito – observou em voz alta. – Vamos aguardar uns minutos.

– Aguardar o quê? – retrucou Clarice impaciente. – Eu tô morrendo de sono, se ficar parada aqui vou dormir em pé! Só de ver essa gente correndo já tô morta de cansaço!

– Isso é só o começo. O nosso primeiro contato é um corredor.

– O espectro?! – perguntou Gustavo.

— Esse mesmo. O mais conhecido. Todos o chamam de o Maratonista. E ele não vai parar para falar conosco.

— Quer dizer... — falou Clarice, antevendo o problema.

— Isso mesmo, quer dizer que vocês vão ter que correr com ele. Espero que estejam com o fôlego bom. Ultimamente só tenho aguentado alguns minutos. O ritmo dele não é fácil de acompanhar. Vou dar uma ideia do tipo de conversa que vocês devem desenvolver e depois vocês mesmos vão ter que se virar para tirar as informações. Se aguentarem a corrida.

Gustavo sorriu e Clarice fechou a cara. Os dois não perderiam essa oportunidade por nada. Mesmo Clarice, que detestara a ideia, perderia toda a água do corpo antes de perder a oportunidade de falar com um espectro. Após algumas rápidas instruções, Jethro concluiu, dizendo:

— Todo dia ele passa nesse mesmo trecho à mesma hora. Tal qual fazia o verdadeiro Moacir. Isso é bom nos espectros, eles são bem previsíveis — Jethro começou a falar mais rápido, visto que o espectro já podia ser avistado vindo ao encontro deles. — Não se esqueçam de ser gentis e educados, sorriam e perguntem aquilo que combinamos, mas o façam de maneira passageira e natural. E não mencionem nem de longe nada que lembre acidentes de carro ou atropelamentos. Lá vem ele, preparem-se!

Gustavo ensaiou o seu melhor sorriso e desceu o cordão da calçada para acompanhar o maratonista Moacir. Clarice bem que tentou, mas o sorriso não saiu dos melhores. Mesmo assim, tomou a frente de Gustavo e abordou Moacir após correr alguns momentos ao lado dele:

– Ô, seu Moacir! Bom dia para uma corridinha, né?

– Como você sabe o meu nome? – respondeu Moacir, lacônico.

– E quem não conhece Moacir, o grande maratonista?

– É, pode ser – respondeu, pensativo. – Eu acho que sou bem conhecido mesmo. Talvez até famoso! – disse já com melhor humor.

Homem é tudo igual, pensou Clarice, *nem morrendo tomam jeito*.

– É isso aí. Eu e o meu irmão ali atrás, ó... – disse Clarice apontando com o polegar para Gustavo.

— ... somos seus fãs – Gustavo acenou, tímido.

— Nosso sonho é correr uma maratona no mesmo pelotão que o grande Moacir.

A Clarice tá forçando demais, pensou Gustavo. *Nem pra pedir aumento de mesada ela bajulava tanto assim.*

Moacir, entretanto, pareceu inchar depois dos elogios. Corria todo sorridente. Clarice e Gustavo estavam marcando pontos, mas não podiam enrolar mais. O fôlego já dava mostras de estar comprometido.

— Pois sabe, seu Moacir – continuou Clarice –, além de famoso, ouvi dizer que o senhor também é inteligente e bem-informado. E como eu ando procurando uns amigos meus que estão meio desaparecidos, me perguntei se o senhor não podia me ajudar.

Moacir ficou um pouco contrariado, mas não podia negar nada a uma moça tão gentil e atenciosa.

— É sempre assim – disse Moacir –, eu mal começo uma conversa com alguém interessante e já vão logo me enchendo de perguntas. Tudo isso que você falou é verdade, eu sou muito bem-informado, sim, apesar de não lembrar muito bem de tudo que eu gostaria. Vamos fazer um trato, se você me ajudar, eu te ajudo, está certo?

Clarice não tinha opção, os pulmões já queimavam e o corpo sofria com a falta de oxigênio. Balançou a cabeça para concordar com a proposta de Moacir.

– Sabe, mocinha, eu adoro correr, isso aqui é minha vida. Mas eu tenho ouvido alguns comentários de que essa minha atividade é muito perigosa. Correr nas ruas de uma capital traz certos riscos, segundo dizem. Esse assunto é meio confuso para mim. O que você pensa sobre isso?

E agora?!, pensou Clarice. Jethro havia dito para não abordar aquele assunto de jeito nenhum, mas agora era Moacir quem tomava a iniciativa. *Será que ele queria falar sobre aquilo? Eu devo desconversar ou concordar com essa história de ser arriscado correr nas ruas?* As pernas de Clarice já se moviam com dificuldade. Não havia mais tempo para pensar.

– Bom, seu Moacir... – *fala a coisa certa, Clarice, fala a coisa certa!*, pensou Clarice. – Acredito que esse pessoal não sabe o que diz. Como pode ser perigoso, se nós três estamos aqui, correndo, vivinhos da silva!

Após alguns segundos angustiantes e asfixiantes, Moacir falou:

— Muito bem, guria! Obrigado pela ajuda! Estou pronto para te ajudar no que você precisar. Quem são esses amigos que você quer encontrar?

— São conhecidos como Os Minotauros e devem ter andado bastante aqui pelo Centro nos últimos meses. Talvez você tenha percebido uma movimentação incomum em algum prédio conhecido. Ou então um recebimento anormal de equipamentos por parte de algum estabelecimento comercial muito frequentado...

Após mais alguns segundos asfixiantes, Moacir respondeu:

— Sinto te decepcionar, mas não percebi nada parecido com isso. Ouvi falar de um pessoal estranho que anda ali pela banda da Praça da Matriz — *esses são os nossos*, pensou Clarice. — Fora isso, não vi nada de anormal no Centro. Mas se vocês quiserem saber sobre outros bairros próximos eu poderia ajudar... — *ele é só um programa, tenho que perguntar a coisa certa!*

— Queremos! — disse Clarice sem fôlego.

— Bairro Praia de Belas. Certa vez, próximo à esquina da Praia de Belas com a Ipiranga, eu vi uma dupla de caminhões, muito suspeitos, que seguiram pela Borges de Medeiros; eles iam em direção ao Centro, bem cedo de manhã e tinham todos os vidros escuros. Consegui ver o rosto de um deles quando abriu o vidro do caminhão para pedir informações e jogar uma bagana de cigarro fora. Que cara feio! Ninguém que tivesse visto esqueceria aquele rosto, estava parcialmente deformado, e a parte que não estava deformada tinha um olhar de ódio profundo.

Moacir continuou a descrever a cena, mas a voz ficou completamente inaudível. Seu corpo começou a ficar translúcido até que simplesmente desapareceu.

Logo em seguida, Jethro chegou de táxi e encontrou os irmãos jogados no chão, quase desmaiados. Clarice estava azul e inspirava profundamente o ar gélido da manhã. Gustavo fitava o horizonte sobre o lago Guaíba e respirava baixinho.

Após verificar que ninguém corria risco algum, Jethro sentou-se no cordão da calçada e desatou a rir daquelas pálidas figuras.

Após 15 minutos de gemidos e choramingos, Jethro achou que já estava na hora de saber o que

Gustavo e Clarice haviam conseguido descobrir com o maratonista. A corrida com Moacir os havia levado ao caminho normalmente utilizado pelos corredores às margens do lago Guaíba, quase na altura do Shopping Praia de Belas. Sentados num dos bancos verdes espalhados ao longo do caminho, Gustavo repetiu fielmente todas as palavras trocadas entre Moacir e Clarice.

– Vocês foram ótimos! – disse Jethro, após ouvir atentamente o relato de Gustavo. – Não pensei que fossem chegar tão longe, nem na corrida, nem na esperteza.

– Esperteza minha! – respondeu Clarice, cheia de si. – Consegui extrair direitinho as informações daquele corredor maluco. Ele quase me matou correndo daquele jeito! Não é de se admirar que tenha morrido. Quase fomos atropelados umas duas vezes!

– Pena que não conseguimos ouvir o resto da descrição dele. Tenho certeza que devia ter mais alguma coisa importante – completou Gustavo. – De repente ele foi sumindo, sumindo...

– Vamos ficar sem vê-lo por pelo menos um mês, vocês esgotaram a energia que ele possuía apelando para o lado vaidoso dele. São as emoções que prendem os espectros ao nosso mundo e os alimentam, mas dez minutos de conversa animada os deixam esgotados.

— Não ia adiantar muito se ele durasse mais. Eu não duraria mais dez segundos — disse Gustavo.

— Nem eu — completou Clarice, sorrindo.

— Bom, o fato é que vocês conseguiram informações importantes, mas infelizmente não são suficientes. Vamos ter que visitar o próximo na minha lista de espectros.

— Espero que não tenhamos que correr desta vez — falou Clarice.

— Correr não, mas subir! Vamos pegar um táxi, eu explico no caminho.

9
NA TORRE DA IGREJA

Com entrada pela rua dos Andradas, no Centro de Porto Alegre, a Igreja de Nossa Senhora das Dores teve sua pedra fundamental assentada no alto da então praia do Arsenal no dia 2 de fevereiro de 1807 e levou 97 anos para ser concluída. Foi tombada pelo Patrimônio Histórico Nacional em 1958. Sua construção envolve uma conhecida lenda porto-alegrense já contada em livros e apresentada em programas de televisão. Com sua fachada em estilo alemão e com traços do barroco português, possui uma imponente escadaria que causa um belo efeito quando observada de baixo. Parada obrigatória de turistas, a escadaria da Igreja das Dores, juntamente com seu pátio frontal, serve de palco para quermesses da comunidade, já tendo sido utilizada também para shows, espetáculos teatrais e como cenário para comerciais de televisão.

Subir aquela escadaria não era exatamente o que Clarice e Gustavo desejavam no momento.

— Muito bem, meus jovens – disse Jethro, bem-humorado, quando desciam do táxi –, agora vocês vão ter a grande oportunidade de falar com uma lenda viva. Viva, na verdade, é só mesmo a lenda, já que vamos falar com mais um espectro. Vamos subir a torre da igreja até o nível mais alto e, se tivermos sorte e um pouco de habilidade, devemos conseguir falar com Josino, o escravo inocente que amaldiçoou a construção dessa igreja e deu origem à *Lenda das torres malditas*.

Clarice olhou fixamente por alguns segundos para Gustavo, até que ele percebeu que ela queria que ele falasse alguma coisa.

— Eu conheço a lenda, por acaso já andei dando uma lida nas lendas urbanas da cidade.

Clarice ainda olhava para Gustavo e balançava a cabeça quase imperceptivelmente, como que o incentivando a falar mais.

— A lenda tem várias versões, umas chamam o tal escravo de Josino, outras dão outro nome. Todas envolvem a acusação contra Josino de ter roubado alguma coisa: o colar que adornava a estátua de Nossa Senhora, dinheiro da caixa de ofertas ou material de construção. A versão mais popular conta que a igreja recebia muitas doações de material de construção de pessoas importantes da época, mas as doações chegavam pela frente da obra e saíam por trás – eram doações falsas, só para que seus doadores aparecessem aos olhos da sociedade. Lá pelas tantas, quando colocaram as coisas no papel, faltava material, e Josino, um escravo que trabalhava na obra, emprestado por um figurão, foi acusado. Mesmo sendo condenado à morte por enforcamento, jurou inocência até o final. No dia de seu enforcamento, à frente da Igreja das Dores, ele rogou uma maldição: como prova de sua inocência, disse que as torres da igreja nunca seriam concluídas. Dizem que elas caíram várias vezes logo após estarem quase terminadas, só então a maldição rogada por Josino foi lembrada e todos acreditaram que ele era inocente. Depois de muitas orações e serviços religiosos realizados em seu nome, as torres foram finalmente acabadas e a obra finalizada.

– Ô guri bom esse! – exclamou Clarice.

– É verdade, é verdade! – disse Jethro. – Mas vamos ao que interessa. As recomendações para falar com o espectro do Josino são as mesmas, porém tenho algumas novas. Devido às circunstâncias da morte de Josino, ele é um pouco agressivo, às vezes até assustador, mas fiquem calmos e relaxem que esse tipo de atitude é passageira e não apresenta grandes riscos. Se ficarmos calmos, ele logo passará a ser cordial e, às vezes, até bem-humorado. Dessa vez, eu vou com vocês. Josino já me conhece e pode se mostrar mais solícito com alguém familiar. Ele geralmente aparece numa das torres da igreja. No caso de Josino, quanto mais longe do horário de seu enforcamento, maior a chance de encontrá-lo; ele é um pouco avesso a coisas que o lembrem de sua morte. Visto que ele foi enforcado de manhã cedo, o período da manhã não é o melhor horário, mas precisamos logo de informações e vamos ter que arriscar. Josino é um dos melhores informantes que temos. Sempre vale a pena dar uma passada por aqui quando queremos informações a respeito de alguma movimentação ocorrida no Centro. Dentro dessa área, Josino parece ter olhos em cada rua, praça e prédio público.

– Por que não voltamos à noite? – perguntou Gustavo.

— Temos pressa e, além disso, uma experiência dessas, à noite, poderia ser um pouco... estressante demais para vocês – concluiu Jethro com um sorriso.

* * *

Subir a escadaria da Igreja das Dores foi um tanto doloroso para Gustavo e Clarice. Jethro foi na frente, surpreendentemente rápido para alguém na idade dele. Os dois irmãos vieram logo atrás, gemendo de dor devido à corrida forçada de logo cedo. Sentiam como se tivessem levado uma surra, a cada degrau os músculos não os deixavam esquecer que precisavam fazer exercícios mais regularmente. No alto da escadaria, Jethro explicou que pretendia entrar na igreja antes que ela fosse aberta ao público, dessa forma teriam mais privacidade para fazer o que precisavam, sem despertar olhares curiosos ou serem observados pelos adversários da outra Ordem. Jethro bateu levemente na pesada porta e um homem de meia-idade abriu-a e pediu silêncio, colocando o indicador sobre os lábios.

Sempre em silêncio, o homem conduziu-os ao fundo da nave da igreja e dali para um curto corredor à direita. A igreja encontrava-se em reforma e a comunidade vinha tentando arrecadar fundos para devolver ao prédio a grandeza de outrora. Andaimes, sacos de cimento e outros materiais de construção jaziam junto às paredes. Dobrando novamente à direita, passaram por algumas portas, chegando a uma escada de ferro em forma de caracol. Naquele ponto, o homem que os conduzia deu as costas e sumiu rapidamente. Só de olhar para a escada, os irmãos estremeceram. Jethro, porém, sorriu e começou a subida com Gustavo e Clarice logo atrás. Chegando ao alto da escada, viram-se no mezanino da igreja.

– Pronto, garotos. Agora é que começa a subida de verdade – disse Jethro, indicando a próxima escada. – São mais três iguais a esta.

Era uma escada de madeira estreita tanto na largura quanto no comprimento dos degraus. Além disso, a escada se encontrava descascada e quase completamente carcomida por cupins. Era uma visão desanimadora.

– Eu não subo nisso aí! – disse Clarice, tentando parecer indignada com o resto das forças que tinha.

– Se vocês pisarem exatamente onde eu pisar, não vamos ter problema algum. Se pudéssemos esperar mais um ano, talvez já encontrássemos a escada reformada, mas não temos tempo para isso. Eu vou na frente para que vocês vejam que não é tão difícil assim.

Quando Jethro já estava no quinto ou no sexto degrau foi que os irmãos tomaram coragem de segui-lo. Os dois, mas principalmente Clarice, estavam numa daquelas situações em que só se pensa no próximo passo e em mais nada.

Um pé, outro pé. Pisar onde Jethro pisa, repetia Clarice mentalmente.

No meio da segunda escada, Clarice quase despencou degrau abaixo, mas foi salva por Gustavo, que a segurou pelos cabelos que haviam sido amarrados atrás da cabeça no início da subida. Apesar de ter poupado Clarice da queda, Gustavo ainda precisou ouvi-la resmungando sobre quantos fios de cabelos ele havia arrebentado ao segurá-la daquele jeito. Gustavo pensou em protestar, mas percebeu que a irmã estava no limite das forças e qualquer distração que desviasse sua atenção do esforço ao qual estava sendo submetida não seria bem-vinda.

Jethro chegou alguns segundos antes no alto da torre. Logo em seguida, gemendo e reclamando, chegaram Clarice e Gustavo. O lugar estava vazio. Os irmãos se mostraram um tanto decepcionados, tinham quase desmaiado de cansaço para chegar lá em cima e o lugar parecia não ter nada de especial, não viam nem sinal do tal espectro.

– Calma! – disse Jethro sorrindo. – Algumas vezes precisamos dar algum tipo de comando ou senha para entrar em contato com Josino. Temos que preparar o ambiente. Além do mais, aproveitem a vista. Não é sempre que poderão vir aqui. É possível ver boa parte da cidade daqui de cima.

Após deixar que o Guardião e sua irmã descansassem poucos minutos, Jethro deu uma piscadela para Gustavo e retomou o assunto que os havia trazido até ali.

– Não sei se já falei para vocês a respeito da construção desta igreja. Dizem que alguém anda desviando os materiais destinados à obra. Tem sumido um pouco de tudo, parece que até já sabem quem é.

De repente, no lado oposto ao que estavam, apareceu Josino fitando-os sombriamente. O lugar era frio, úmido e pouco espaçoso. Mesmo sem aparentar estar se movendo, Josino foi se aproximando cada vez mais e logo dizendo em alta voz:

— Não fui eu quem roubou! Sou gente honesta! Não sou ladrão!

— Ninguém acha que foi você, Josino – respondeu Jethro, tentando diminuir o volume da conversa.

Gustavo e Clarice estavam brancos e passaram a respeitar ainda mais Jethro, pois ele não demonstrava o mínimo abalo com a figura amedrontadora de Josino.

— É mentira! Todos pensam que fui eu! A prova disso é que logo essas torres vão cair! Essa igreja nunca vai ficar pronta! – Josino falava cheio de ódio e sua figura tremia com espasmos assustadores.

Os irmãos se olhavam com os cantos dos olhos, e Jethro sentiu que só não saíam em disparada porque estavam paralisados de medo com a cena.

— O que é isso, Josino? Não me reconhece? Já nos falamos antes. Sempre fomos cordiais um com o outro. Eu até trouxe dois amigos para conhecê-lo!

— É mesmo? Mas por que vosmecê não disse antes? Adoro conhecer gente nova. Quem são eles? – o clima pesado sumiu de repente e Josino pareceu somente um homem pequeno e assustado.

— Gustavo e Clarice. São irmãos e estão me acompanhando em uma investigação. Gostaria que

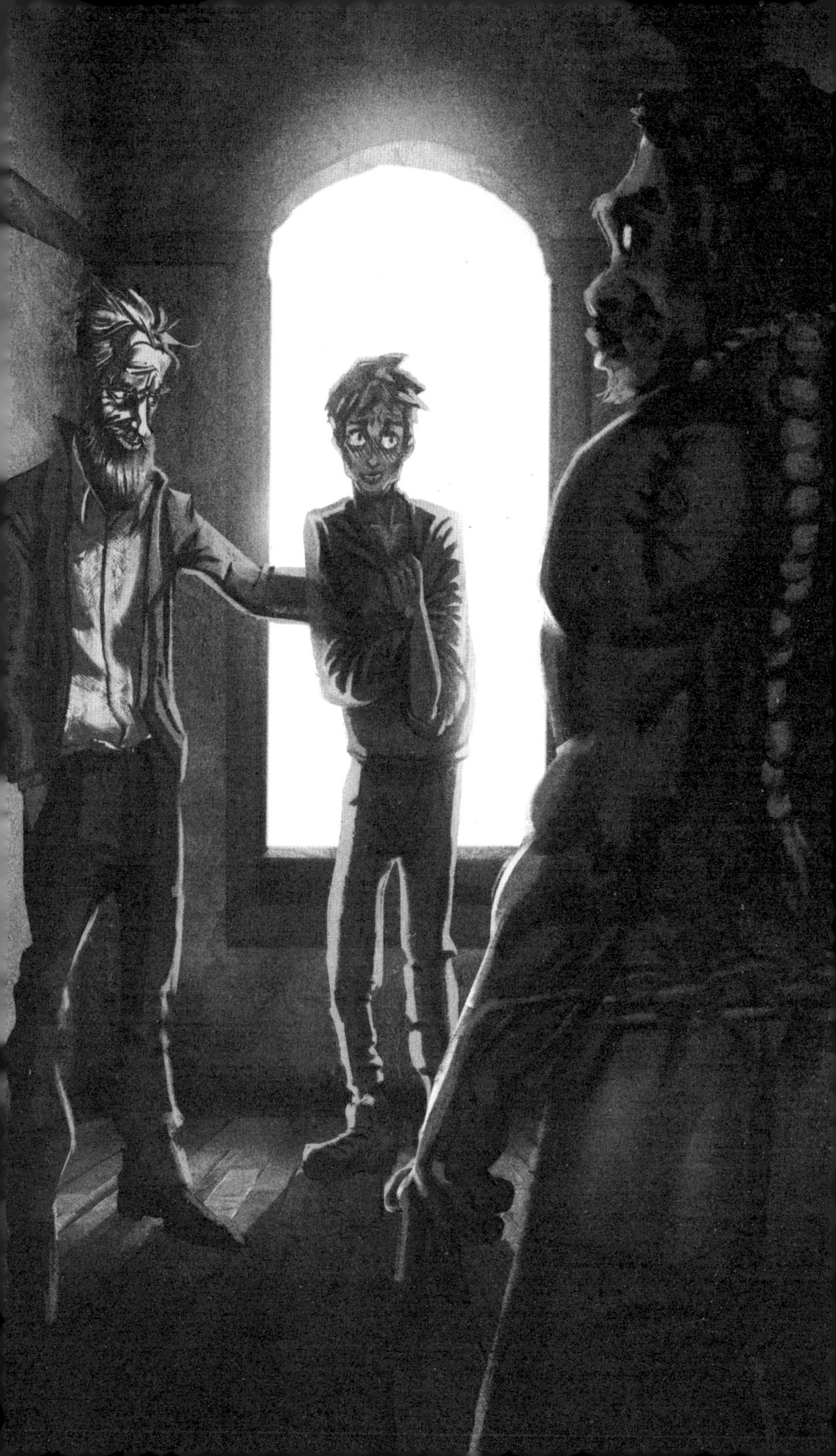

nos ajudasse fornecendo aquelas informações preciosas de sempre.

– Hum... Não sei não, eles não me parecem ser gente de boa prosa.

Jethro olhou disfarçadamente para Clarice, mas ela continuava paralisada e com os olhos arregalados. O silêncio estava ficando perigosamente longo. Quando Jethro já havia perdido as esperanças de que Clarice tomasse a frente da situação, como ele imaginava, ouviu a voz de Gustavo.

– Claro que somos, seu Josino. Adoramos uma boa prosa. E queríamos muito lhe conhecer. Como disse o nosso amigo, precisamos de algumas informações. O que o senhor acha de prosearmos a respeito disso?

– Eu nunca recuso uma boa conversa. O que os amigos querem saber?

Clarice não se sentia em condições de sequer se manter em pé. Lembraria, mais tarde, apenas que Gustavo havia conversado um pouco mais com Josino e de depois ter sido carregada pelo irmão e por Jethro escadarias abaixo, até um táxi. E finalmente o mergulho doce e relaxante da inconsciência.

10
ENVENENAMENTO

Após deixarem Clarice num quarto do hotel subterrâneo da Ordem, Gustavo e Jethro se dirigiram ao refeitório para conversar um pouco e aguardar o almoço.

— Foi uma boa surpresa ver que você também tem iniciativa quando necessário – disse Jethro, sorrindo.

— É, quando a coisa pega, eu sempre dou um jeito. Mas prefiro ficar na observação. Como vocês disseram, eu e minha irmã temos personalidades complementares. Quase sempre ela toma a iniciativa, mas quando ela tem um desses ataques de cansaço, sou eu quem toma as rédeas.

— Percebi. É bom saber que vocês também têm cartas na manga. Quanto tempo será que ela vai dormir?

— Se eu bem conheço a minha irmã, ela deve acordar na hora do almoço, com uma fome de leão.

— Acho que puxei demais com vocês. O desgaste físico da corrida com o Moacir, aliado ao desgaste emocional do encontro com Josino, seria suportável para alguém preparado e descansado, mas tudo aconteceu muito rápido, e Clarice, pelo que ela disse, quase não dormiu na noite passada.

– É verdade. Eu confesso que também quase não me aguentei nas pernas. Até agora estou com elas meio bambas. Nada que uma boa dose de chocolate não resolva – disse Gustavo segurando uma enorme barra.

– Que bom! Precisamos de você de pé e animado. Foi bom ficarmos a sós por alguns minutos.

Logo depois de um breve suspiro, Jethro prosseguiu:

– Sempre que se aproxima a hora da troca do Guardião, alguns eventos, infelizmente, acabam acontecendo. Entre eles, o risco de perdermos os Artefatos e o aparecimento de um traidor entre nós. Qualquer um pode ser o traidor, mas sempre temos suspeitos. Eu já ganhei dolorosas cicatrizes em função disso e me sinto no dever de te ajudar a não passar pelo que eu passei.

Gustavo se lembrou do que Clarice havia lhe contado em relação à discussão entre Gaspar e Alexandre durante o jantar do primeiro domingo que passaram ali na sede. Lembrou-se também de que Clarice havia desenvolvido uma certa antipatia por Alexandre e seu jeito arrogante de tentar (e conseguir) manipulá-los com aquela tal de Voz. Gustavo lembrava também que Alexandre havia demonstrado que discordava de Gaspar mesmo durante as explicações que dera naquela primeira noite no Núcleo. "Historicamente, somente ele (o Guardião) pode manipular os Artefatos sem ser corrompido, apesar de eu discordar disso", dissera Alexandre naquela noite. Gradualmente Gustavo foi juntando as peças e passou a formar uma desconfiança mais sólida em relação a Alexandre. Suspeitava de que ele tivesse algum tipo de pretensão em relação aos Artefatos e, provavelmente, no entender de Alexandre, havia sido preterido em suas ambições quando Gustavo assumiu o cargo de Guardião. Nos sonhos de Gustavo apareciam outros elementos que ele não havia, prudentemente, relatado naquela primeira noite. Por vezes, lembrava ele, agora juntando mais esse fato à fila de desconfianças em relação a Alexandre, outro Centauro participava do confronto lendário, mas, ao contrário do que se esperaria, batalhava ao lado do Minotauro.

Jethro, após alguns momentos, nos quais lembranças pareciam estar passando diante de seus olhos, continuou:

— Eu sei que deve ser apavorante para vocês saberem que a organização que acabam de conhecer não é confiável na sua totalidade, mas a cada ciclo de troca de Guardião isso acontece e, infelizmente, a experiência provou que precisa ser dessa forma. A organização passa por uma espécie de purificação e sai mais fortalecida após esses indesejáveis acontecimentos. Por isso, te dou o seguinte conselho: fica de olhos e ouvidos atentos e confia na tua intuição do que é certo e do que é errado. Não hesite um momento sequer em escolher o melhor caminho.

Gustavo ouviu, pensativo, os conselhos de Jethro, e seguidos mais alguns minutos de conversa informal viu uma correria e um burburinho chegarem ao refeitório. Ouviram quando alguém explicava o que estava acontecendo para outro companheiro da Ordem. Os Minotauros haviam feito mais um movimento. Ben Hur fora encontrado desmaiado, quase morto, dentro de seu carro, vítima de um envenenamento quase fatal. Não havia esperanças de que alguém exposto àquela quantidade de veneno sobrevivesse.

11
CLARICE ACORDA

Logo após as primeiras análises, constatou-se que existia no sangue de Ben Hur veneno suficiente para matar meia dúzia de cavalos. Só mesmo uma pessoa tão incomum, como era o caso do agente da Ordem dos Centauros, poderia ter alguma chance. Ben Hur encontrava-se em coma na enfermaria do Núcleo Porto Alegre 1. Felizmente, após a Copa Quíron, ele começara a desenvolver, entre outras habilidades, a de Transmutação de Venenos, assim que pecebera sua importância. O atacante de Ben Hur provavelmente desconhecia essa sua habilidade emergente, fato que o salvou da morte certa, ou pelo menos a adiou. No entanto, o estado dele não era dos mais animadores. Talvez uma quantidade menor de veneno já tivesse sido transmutada, mas aquela quantidade absurda a que ele fora submetido o deixara com poucas chances de sobrevivência.

Haviam esperado Clarice almoçar para dar a notícia a ela. A menina tinha dormido um pouco, mas ainda estava abalada com tudo o que vinha acontecendo. Jethro, Gustavo e Gaspar juntos a informaram do episódio. Um pouco mais descansada e alimentada, ela já demonstrava outro humor e recebeu a notícia a respeito de Ben Hur melhor do que se esperava.

— Peço desculpas a todos vocês por essa minha pequena crise. Estou melhor, bem melhor, acreditem. Eu só precisava de um pouco de sono e colocar os pensamentos no lugar. Só espero não ter nenhum outro espectro na lista de visitas!

— No momento não temos, Clarice – disse Jethro –, mas não gostaria que esse assunto se tornasse traumático para ti. A qualquer momento podemos ter necessidade de contatar algum espectro ou seres ainda mais temíveis. Mais cedo ou mais tarde você vai ter que enfrentar essa situação novamente.

— Não digo que esteja traumatizada, mas espero que, nos próximos anos, eu não tenha mais contato com nenhum tipo de espectro, principalmente com o simpático Josino. Tirando isso, estou pronta para outra!

— Ficamos felizes com isso, Clarice – falou Gaspar. – Mais do que nunca precisamos de você e do teu irmão em forma e bem-dispostos. Temo que as ações dos Minotauros fiquem cada vez mais ousadas. Não sabemos o que Ben Hur pode ter sido obrigado a revelar antes de ser envenenado e, pelo jeito, nunca saberemos. Sinto tanto por Ben Hur! O nosso Núcleo pode ser o próximo alvo do inimigo. Vocês precisam encontrá-los antes que eles nos encontrem. E você, Gustavo, especialmente você, deve tomar cuidado. O Artefato que guardamos se encontra neste Núcleo, no cofre mais seguro. O nosso arquivista já programou o sistema para que o cofre seja acessado somente por pessoas selecionadas. Duas precisam estar presentes, e uma delas, necessariamente, precisa ser o Guardião. Por isso os Minotauros vão querer entrar no nosso Núcleo e capturar você e mais alguém autorizado. Precisamos ficar alertas!

– E quem são as outras pessoas autorizadas? – perguntou Clarice.

– Estamos procurando espalhar as pessoas que têm esse nível de acesso, mas algumas precisam ficar aqui, entre elas eu e o Alexandre – respondeu Gaspar. – Tanto quanto Gustavo, eu e o Alexandre também temos que ficar preparados para situações difíceis.

– O Alexandre precisa mesmo ficar no Núcleo? – questionou Clarice.

Todos se olharam, sem coragem de dizer o que corria pela mente do grupo. Gustavo lançou um olhar de repreensão para Clarice e procurou amenizar o conteúdo daquela pergunta.

– Preferia não ter suspeita sobre ninguém, mas também não me agrada a ideia de correr riscos desnecessários. Quanto mais gente com acesso ao cofre presente no Núcleo, mais arriscada se torna nossa posição. É como esconder a chave ao lado do cadeado.

– Que bom que vocês estão realmente comprometidos com isso tudo! – disse Gaspar alegremente. – Mas não fiquem tão assustados assim. O lugar mais seguro para todos nós ainda é o interior deste Núcleo. Só estamos tomando todas essas providências por mera precaução. E eu conheço Alexandre há muitos anos e confio nele sem reservas. Além do mais, ele é especialista nesse assunto dos Artefatos, e a presença dele é imprescindível para nos ajudar em quaisquer dúvidas ou problemas que possam surgir. Fiquem calmos e tudo irá bem.

Só de olhar para sua irmã, Gustavo percebeu que Clarice havia ficado desconfiada. Ele próprio sentia que algo não corria bem. Passara a desconfiar mais fortemente de Alexandre, apesar de não revelar a ninguém. Gaspar escondia algo, certamente ele sabia que Alexandre parecia mais constestador do que deveria. Para Gustavo, era óbvio que alguma coisa deixava Alexandre insatisfeito naquilo tudo. Por que Gaspar o protegia?

Após conversarem mais algumas amenidades, Gaspar se retirou. Jethro aproveitou para ficar a sós com os irmãos. Relataram para Clarice o que ela havia perdido do encontro com Josino.

Josino havia revelado ter tomado conhecimento a respeito dos mesmos dois caminhões dos quais Moacir falara. Pessoalmente, não viu nada, mas a rede de contatos de Josino, que se constituía de outros espectros mais fracos e desgastados e proporcionava a ele um dos meios pelo qual o fazia ser lembrado como informante, tinha recebido informações sobre o movimento suspeito daqueles caminhões. Josino, então, relatara que os caminhões haviam estacionado ao lado do Mercado Público e permanecido por lá boa parte da manhã. Depois foram embora em direção à Freeway bem mais rápido do que o bom senso sugeria. Apesar de não acrescentar muito em qualidade à informação que Moacir já fornecera, o que Josino revelara dava pelo menos uma indicação do próximo lugar a investigarem.

12
NO MERCADO PÚBLICO

Jethro insistiu que Gustavo e Clarice descansassem um pouco mais antes de irem até o Mercado Público. Poderiam continuar a procura logo mais, ao entardecer. Clarice não descansou enquanto não foi visitar Ben Hur na enfermaria. O estado dele era grave, mas estável. Ela havia tomado, novamente, as rédeas da situação, mas, apesar de estar sob um estresse controlado, não conseguiu evitar de ficar profundamente angustiada com a situação do novo amigo. Ben Hur, deitado na cama, cheio de fios e monitores ligados ao corpo, parecia frágil se comparado à primeira vez em que o vira no seu apartamento. A lembrança fez Clarice reprimir um sorriso ao recordar o nocaute causado por ela em seu primeiro contato com ele. Apesar de mal se conhecerem, aconteceram tantas coisas naqueles poucos dias que parecia que todos se conheciam havia uma eternidade. Com lágrimas nos olhos, Clarice deixou o quarto da enfermaria para procurar Gustavo. Eles precisavam encontrar logo o Artefato Menor e pôr um fim àquela história.

Por volta das seis da tarde, Jethro, Clarice e Gustavo deixaram novamente o Núcleo da Ordem dos Centauros e iniciaram a busca pelo Artefato Menor e a sede dos Minotauros.

Já sabiam que os caminhões que chegaram ao Centro no início do mês traziam, provavelmente, materiais e equipamentos para montar alguma nova base de operações dos Minotauros. Essa sede deveria ficar próxima ao Mercado Público, porém, a pedido de Clarice, Gustavo havia gastado boa parte do final da tarde pesquisando o movimento imobiliário da cidade com os softwares desenvolvidos pelos Centauros, porém não encontrou nenhuma sala grande o suficiente para abrigar aquela quantidade de equipamentos que estava sendo alugada. Talvez o pessoal mais experiente do setor de Inteligência e Informações da Ordem tivesse obtido mais sucesso, mas quanto menos pessoas se envolvessem naquela missão, menores as chances de vazar informações para o possível traidor.

Suspeitavam que o mesmo Minotauro que encurralara e atacara Jethro no passado provavelmente estava envolvido nos crimes atuais. O sujeito desfigurado avistado por Moacir indicava isso. Tinham um bom palpite de que ele poderia ter ficado desfigurado no mesmo momento em que Jethro adquirira suas cicatrizes nos braços e ombros.

Enquanto se dirigiam ao Mercado Público, caminhando pela rua da Praia, Clarice tentava tirar mais algumas informações de Jethro.

– Por que tudo isso acontece em Porto Alegre?! Por que no Centro?!

– Não sou um grande estudioso do assunto, mas sei que algumas cidades têm um certo magnetismo, servem de ponto de conversão de inúmeras energias e de passagem entre planos de existência. Porto Alegre é uma delas. E o Centro é, como o próprio nome já diz, um local que centraliza tudo isso. Ainda em Porto Alegre existem mais três ou quatro locais que desempenham a mesma função, mas o Centro é especial por ser, além desse centro espiritual, também um centro econômico e governamental da região.

– Acho que para a nossa procura seria importante, Jethro – arriscou Gustavo –, termos mais alguma informação a respeito do Artefato Maior. Onde ele se encontra no momento?

– Seria um pouco arriscado te dar uma informação completa a respeito do assunto. Se os Minotauros tentarem arrancar alguma informação, o melhor é que vocês não a tenham. Porém, uma coisa vocês precisam saber. O Artefato Maior se encontra escondido aqui no Centro há muitos anos, apesar de o termos descoberto apenas na época em que eu era o Guardião. A maneira que as pessoas que trouxeram o Artefato para cá encontraram de não colocar a vida, o espírito e a sanidade de ninguém em risco foi a de esconder o Artefato Maior em um lugar público e à vista de todos. Ficando sob o domínio público, fazendo parte do patrimônio da cidade, não pertencendo especificamente a ninguém, ele não pode causar nenhum dos terríveis malefícios que costuma causar nos seus possuidores.

– Pelo jeito os nossos adversários já sabem disso, ou não estariam se estabelecendo novamente aqui e fazendo tantos movimentos arriscados – concluiu Clarice.

– Também penso dessa forma – concordou Jethro –, mas tenho certeza de que essa é toda a informação que eles têm. Assim como vocês e eu, não sabem a exata localização deste Artefato.

– E quem sabe? – perguntou Gustavo.

– Um Flecha já está preparado para trazer a informação quando ela for realmente necessária. Para chegarmos nesse ponto, precisamos recuperar o Artefato Menor. E espero que possamos encontrar alguma pista aqui – respondeu Jethro, apontando para o Mercado Público ao qual acabavam de chegar.

* * *

O Mercado Público de Porto Alegre é um sobrevivente. Resistiu aos incêndios de 1912, 1976, 1979 e 2013. Passou ainda de pé pela grande enchente de 1941. Mesmo não tendo passado sem cicatrizes por essas adversidades, permanece até hoje como uma referência cultural, social e econômica do estado do Rio Grande do Sul. Em 1979, foi aprovada a lei que tombou o prédio como Patrimônio Histórico e Cultural do município de Porto Alegre.

Gustavo e Clarice estavam descrentes da possibilidade daquele prédio supermovimentado abrigar ou mesmo conter qualquer indício dos Minotauros. Era óbvio que não existia ali nenhum dos supostos equipamentos destinados à sede dos Minotauros.

Jethro também havia refletido sobre essa possibilidade e não encontrava uma solução ou pista plausível. Havia pensado inicialmente no subterrâneo do mercado. Se a sede dos Centauros utilizava essa estratégia, era viável também para os Minotauros agirem de maneira similar, mas descartaram essa possibilidade ao perceber que seria impossível que a movimentação de uma obra subterrânea ficasse desconhecida da Inteligência dos Centauros e mesmo do governo da cidade. A sede dos Centauros só existia na atual forma porque havia sido construída dezenas de anos atrás, em uma época em que era mais fácil fazer coisas às escondidas.

– Por que nós concluímos que aqueles caminhões carregavam material para a nova sede dos Minotauros? – perguntou Clarice, dirigindo-se a Jethro.

– Ora, caminhões geralmente transportam materiais. Como os Minotauros estão começando a se mexer, concluímos que o próximo passo seria ter uma sede na cidade onde estão os Artefatos que faltam a eles. Além do mais, existe o fato de que os caminhões chegaram à cidade andando a baixa velocidade, mas, como nos disse Josino, saíram em disparada após descarregarem algo aqui no mercado;

a partir disso, também nos pareceu certo concluir que estavam carregando algum material sensível, algo que não pudesse ser chacoalhado na estrada, equipamentos de alta precisão, como sensores, computadores etc.

— Tá bom, mas existe outro material que também "não gosta" de ser chacoalhado e sacudido por aí – disse Clarice.

— Sim, imagino que exista, mas não vejo no que isso mudaria o fato de que...

— Outro material bem mais perigoso, instável e preocupante... – cortou Clarice.

— Que seria...

— Gente – falou Gustavo, baixinho.

— Isso mesmo! – exclamou Clarice. – Gente, pessoas, recursos humanos. Acho que estamos abordando a questão da forma errada. Os caminhões deviam estar cheios de gente, membros da Ordem dos Minotauros prontos para lançar uma grande ofensiva em busca dos Artefatos.

— Até pode ser – disse Jethro –, mas e a sede? Eles devem precisar se reunir em algum lugar.

— Hoje, qualquer organização com uma sala pequena bem-equipada e ligada à internet, juntamente com uma boa rede de informações, consegue a mesma eficiência funcional que uma grande sede como a nossa proporciona. Se somarmos a isso um sistema de comunicação eficiente, temos uma organização plenamente habilitada a agir como um relógio suíço do terror – completou Clarice, entusiasmada com as próprias ideias.

– É, faz sentido – concordou Jethro, pensativo. – Mas por que, então, eles desceriam logo aqui, no Mercado Público?

– Para onde quer que os caminhões fossem depois de Porto Alegre, esse seria um bom lugar para deixar o que estavam trazendo e tomar o rumo da estrada. Acredito que o Mercado Público em si não era o objetivo deles, mas isso não significa que não possamos obter alguma informação perguntando por aí se alguém viu algo suspeito em alguma manhã dessas. Você deve ter algum contato no mercado, não?

– Na verdade, tenho. Ótimo, já sei como vamos agir! – disse Jethro, animado. – Um velho amigo meu é dono de uma banca de peixe aqui no mercado; se algo suspeito ocorreu por aqui, ele com certeza deve saber.

* * *

Jethro entrou no Mercado Público pela porta que ficava de frente para o Chalé da Praça XV, outro prédio histórico. Logo atrás seguiam Clarice e Gustavo. O mercado parecia um formigueiro. Uma infinidade de produtos dos mais variados tipos era oferecida nas diversas bancas que eram pequenas e, em alguns casos, grandes lojas que vendiam produtos a granel. Jethro pediu aos irmãos que o esperassem em alguma outra banca, pois seu contato, apesar de amigável, era desconfiado demais e talvez não quisesse dar informações na presença de estranhos. Combinaram de se encontrar em meia hora junto à mesma porta por onde entraram. Gustavo resolveu provar alguma especialidade local e Clarice se enfiou entre o povo e desapareceu, louca de curiosidade para explorar aquele lugar pitoresco.

Vinte e cinco minutos depois, Gustavo já estava no local combinado. Tinha saboreado uma bela salada de frutas e se dirigido sem demora ao local de encontro. Cinco minutos depois chegava Jethro. Apesar de Clarice ainda não ter aparecido, Gustavo conhecia bem a irmã e sabia que

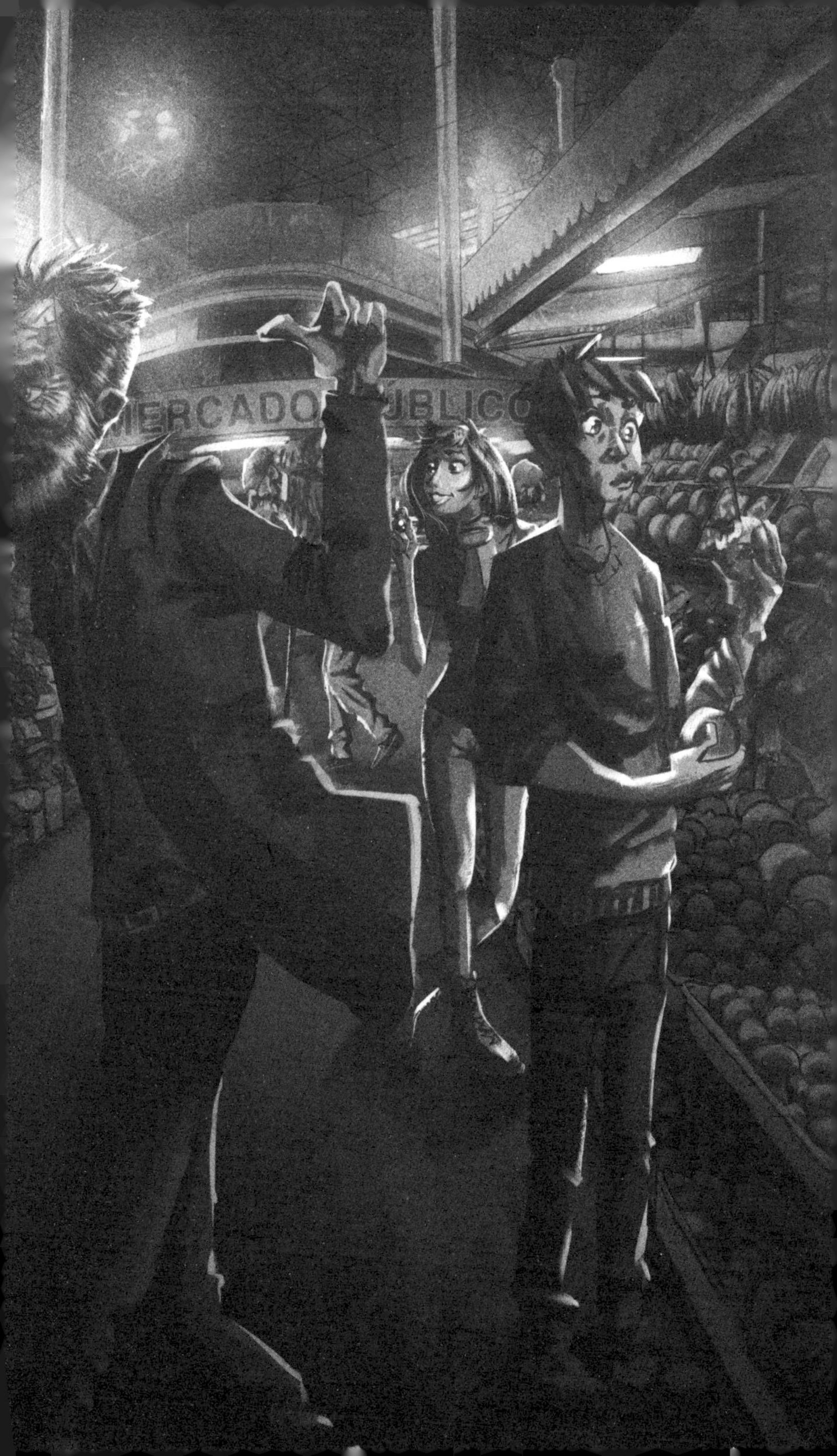

pontualidade não era uma de suas qualidades. Após 15 minutos de espera, Gustavo já começava a se preocupar. Meia hora depois do horário combinado, Jethro já tinha certeza: alguém havia raptado Clarice.

13

O TRAIDOR APARECE

Logo após Clarice ter saído da enfermaria, Ben Hur recebeu outra visita. O horário fora escolhido cuidadosamente. Alexandre chegou em total silêncio e esperou por três ou quatro minutos antes de entrar no quarto em que estava Ben Hur. Depois de ter se certificado de que Clarice não voltaria e de que não teria nenhuma outra interrupção, retirou de uma pequena valise uma seringa contendo um líquido esverdeado. Fitou Ben Hur por um ou dois segundos, segurou seu braço e aplicou vagarosamente o líquido suspeito. Quando deixou o quarto, Ben Hur ainda se debatia em convulsões enquanto todos os aparelhos emitiam repetidos sons agudos de alerta.

* * *

Clarice acordou de repente e teria gritado se sua boca não estivesse amordaçada. Devia ter ficado algum tempo desacordada, pois uma de suas pernas formigava, e ela precisou esticar o tanto que as cordas que a prendiam permitiram para que o sangue voltasse a circular normalmente. Sua primeira reação foi chorar, mas já havia perdido o controle uma vez e não aceitava que isso acontecesse de novo. O pequeno quarto em que se encontrava estava escuro, Clarice mal conseguia distinguir alguma mobília no aposento. Num dos cantos, uma torneira velha havia sido pintada com a mesma tinta da parede e permanecia lá, já com a pintura descascada, dando ao lugar uma aparência de abandono, cheirando a mofo e roupa velha. Quem a havia amarrado fizera um bom serviço. Tinha certeza que os Minotauros estavam envolvidos. *Será que haviam raptado Jethro e Gustavo também?* Se assim fosse, não tinha muitas esperanças de sair tão cedo daquela encrenca. Mas, se o irmão estivesse livre, tinha certeza de que a encontraria mais cedo ou mais tarde. Arrastando-se no chão coberto de pó, conseguiu chegar mais próximo da porta e distinguir algumas vozes masculinas do outro lado. Alguém parecia estar dando ordens. De vez em quando, ouviam-se risadas. Com muito empenho, conseguiu ouvir alguns nomes serem mencionados. Gustavo. Clarice. Alexandre. Alexandre! Devia ter insistido mais com Gaspar quando conversaram na sede dos Centauros. Alexandre era, realmente, uma ameaça, e agora tudo indicava que havia participado de seu rapto.

* * *

Jethro e Gustavo procuraram desesperadamente por Clarice por todo o Mercado Público e pelas imediações. A situação era preocupante. Jethro havia descoberto, com seu contato na peixaria, que o palpite de Clarice estava correto: cerca de quarenta homens desceram de dois caminhões, descarregaram meia dúzia de caixas e se dispersaram a seguir. Segundo o contato de Jethro, tinham um estilo de agir meio militar e estavam bem-equipados: vários portavam pistolas automáticas maldisfarçadas sob o casaco. O contato não sabia exatamente que rumo tomaram, mas viu alguns deles seguirem pela rua Marechal Floriano na direção da avenida Salgado Filho.

Ligaram para a sede dos Centauros e deixaram uma mensagem de voz urgente na caixa postal de Gaspar. Deixaram também um recado menos revelador com a telefonista e pediram que ela procurasse encontrar Gaspar de qualquer jeito. Foi dessa forma que ficaram sabendo da segunda tentativa de homicídio contra Ben Hur e da quase certeza de que Alexandre havia sido o criminoso. Mais de uma enfermeira havia visto Alexandre deixar o local às pressas enquanto corriam para socorrer Ben Hur, que se debatia ao sofrer uma parada cardíaca. Felizmente Ben Hur sobrevivera, apesar de ter ficado numa situação ainda mais crítica que a anterior. Parecia que finalmente o traidor mostrava a cara.

* * *

Jethro e Gustavo procuravam se agarrar à única pista que encontraram. Tomaram o mesmo caminho que os Minotauros trilharam ao desembarcarem dos caminhões. Seis caixas ocupavam certo espaço e, por menor que fosse a nova sede dos Minotauros, deveria estar situada em algum lugar de Porto Alegre, provavelmente próximo ao Mercado Público. Tinham esperanças de que, seguindo os Minotauros, encontrariam Clarice.

Os dois chegaram à rua Marechal Floriano e se puseram a olhar ao longo dela. Diversas lojas dos dois lados ocupavam toda a extensão da movimentada rua. Gente entrava e saía sem parar. A confusão entre pedestres, micro-ônibus e carros era grande. Jethro e Gustavo sentiam-se cada vez mais perdidos. Resolveram limitar a procura ao pedaço da rua que subia levemente chegando até a avenida Salgado Filho. Se as caixas tivessem um destino mais distante teriam sido deixadas em outro lugar, na própria Salgado Filho, talvez. Pela primeira vez, Jethro demonstrava algum desespero. Lembrava os maus momentos que havia passado quando buscou a neutralização. Não queria que aqueles meninos passassem o mesmo. Subiu e desceu com Gustavo todo o segmento de rua no qual resolveram concentrar seus esforços.

Gustavo resolveu tentar uma técnica que Clarice utilizava seguidamente quando precisava de boas ideias. Sentia-se meio bobo tentando aquilo, sempre ria de Clarice quando ela vinha com meditações e coisas do tipo, mas sua irmã não estava ali agora para debochar dele. Decidiu, então, não confiar mais somente na lógica e fazer a tal da meditação. Escolheu um canto menos movimentado da rua, procurou relaxar e combinou com Jethro de falar tudo que lhe viesse à mente enquanto Jethro anotava e depois ambos analisariam se dissera algo que tivesse alguma utilidade.

Por alguns segundos, a mente de Gustavo tornou-se uma tela em branco. Depois, aos poucos, algumas imagens começaram a se formar na mente do Guardião e, rapidamente, cenas dos últimos acontecimentos passaram em sua cabeça. A luta com Ben Hur e Touro. Ben Hur na enfermaria ligado a diversos aparelhos. A subida na escadaria das Dores. O encontro com Josino. A corrida com o Maratonista. Os jantares no Hotel dos Centauros. As partidas da Copa Quíron. A pesquisa por imóveis candidatos à sede dos Minotauros. As explicações de Alexandre e Gaspar.

De repente viu-se novamente correndo com Moacir, vendo o corpo do Maratonista sumir, sua voz ficando cada vez mais fraca. Nesse momento, Gustavo conseguiu distinguir uma última palavra não dita por Moacir e que não havia percebido antes. Leu nos seus lábios a palavra "rosário". As lembranças foram, então, substituídas pelas da pesquisa que havia feito na sede sobre possíveis imóveis para os Minotauros. O software dos Centauros que monitorava o movimento imobiliário mostrava três ou quatro salas alugadas por pessoas diferentes, mas todas na mesma semana e situadas uma ao lado da outra. Na tela do computador, um nome parecia saltar aos olhos: Galeria do Rosário. Haviam desconsiderado salas daquele porte, deixando a informação passar despercebida, mas esses dados à luz das intuições e deduções de Clarice e das observações relatadas pelo contato no Mercado Público ganhavam outro significado.

Gustavo saiu do quase transe tão de repente como entrou. No primeiro olhar que trocou com Jethro falaram ao mesmo tempo:

– Galeria do Rosário!

* * *

Na sede dos Centauros as notícias já haviam se espalhado. Gaspar continuava desaparecido. Começaram a temer pela vida dele também. Ben Hur era muito benquisto por todos, e dessa forma ninguém poupava esforços para encontrar o responsável pela tentativa de homicídio. Batalhões de médicos e enfermeiras rodavam em volta de Ben Hur, que parecia não ter muitas chances de passar daquela noite. Alexandre desaparecera. Somado a tudo isso, corria o boato de que os dois mais novos membros da Ordem também estavam enfrentando dificuldades. Dizia-se nos corredores que os Minotauros estavam envolvidos e haviam raptado um dos irmãos. Para completar, ninguém conseguia contato com eles. Sem Gaspar presente, as coisas pareciam não fluir adequadamente. A organização tão eficiente começava a entrar na crise predita por Jethro. Havia algo errado, e as pessoas podiam sentir isso no ar – era um sentimento quase palpável de confusão e, para os mais influenciáveis, de desespero.

14
NA GALERIA
DO ROSÁRIO

A Galeria Nossa Senhora do Rosário é uma daquelas populares galerias localizadas em prédios antigos e que possuem lojas de quase tudo. Uma de suas entradas fica exatamente na rua que Gustavo e Jethro estavam tão desesperadamente percorrendo e analisando. No seu andar térreo, vendem-se desde relógios, joias e produtos eletrônicos, até pastéis e cachorros-quentes. Nos demais andares funcionam, além de diversas lojas, vários tipos de escritórios e salas de prestadores de serviço. As placas de "aluga-se" ainda estavam afixadas naquelas que compunham o conjunto que a Ordem dos Minotauros anonimamente alugara.

Jethro e Gustavo entraram no prédio perto do fim do horário de expediente do pessoal da portaria. Após alguns minutos numa pequena fila, receberam permissão para entrar nas dependências do prédio e foram direto ao terceiro andar. Os dois lembravam que as possíveis salas alugadas pelos Minotauros ficavam naquele pavimento. Ao saírem do elevador, tomaram o corredor à esquerda. Algumas das lojas localizadas ali ainda estavam abertas e pareciam insuspeitas. Ainda assim resolveram fingir serem simples consumidores para sondar as salas de perto. Após alguma pesquisa, descartaram todas as daquele braço de corredor. Mesmo as que estavam fechadas pareciam não ser as que procuravam.

— Se continuarmos assim, não vamos chegar a lugar algum! Perdemos muito tempo — desabafou Jethro. — Aposto que vamos encontrar a mesma situação no corredor de lá.

— Calma, Jethro. Eu conheço bem a minha irmã. Ela vai arranjar um jeito de nos dar algum sinal, alguma pista.

Entraram no braço direito do corredor e Jethro já ficou mais animado. As últimas quatro salas estavam fechadas e com cartazes de "aluga-se" nas portas. Foram direto para essas salas e bateram nas portas. Primeiro, educadamente. Depois de alguns minutos, já haviam esmurrado as quatro portas sem ter nenhum sinal de que havia alguém lá dentro. Parecia, infelizmente, que aquelas salas também não eram as que estavam procurando. Resolveram perguntar no escritório de advocacia que ficava naquele mesmo pedaço de corredor, mas ninguém parecia saber qualquer coisa útil em relação às salas vizinhas. Pensaram em perguntar na recepção, mas se começassem a fazer esse tipo de pergunta naquele horário, logo o pessoal da segurança iria querer saber por que estavam tão interessados naquele tipo de informação e, até que explicassem tudo e contatassem os membros da Ordem com influência na polícia, a pista já teria esfriado e os Minotauros, se quisessem, já teriam sumido, e com eles a esperança de encontrar Clarice e o Artefato Menor.

Precisavam resolver aquilo imediatamente. Gustavo gritou várias vezes por Clarice, esquecendo a prudência habitual por um momento, mas não houve nenhuma resposta. Mesmo que estivesse sendo guiado por Jethro e não fosse diretamente culpado de nada, ele sabia que o título agora era seu e era ele quem deveria "resolver" o problema. Apesar de Jethro tentar aliviá-lo dessa responsabilidade, durante as duas semanas no Núcleo Porto Alegre 1 Gustavo havia estudado a história dos Guardiões do passado e sempre era deles que se esperava que partissem as soluções. Ainda que outros Centauros ajudassem, o mérito ou o demérito de resolver ou não alguma situação era do Guardião.

Jethro, por sua vez, sentia-se frustrado por não poder fazer as coisas funcionarem desta vez.

De novo.

Sabia que seu tempo havia passado, mas queria remediar a sua incapacidade do passado, ajudando o novo Guardião a finalmente resolver a questão dos Artefatos.

Depois de desistirem daquele andar e, talvez, do prédio, resolveram aguardar em frente aos elevadores até que alguma ideia viesse à mente. Estavam cogitando a possibilidade de voltar à sede dos Centauros, procurar Gaspar e fazer uma busca mais organizada e com mais recursos. O fator tempo, no entanto, os fez desistir dessa ideia.

Felizmente, nesse momento, um suave ruído vindo do último corredor visitado chamou a atenção do Guardião. Apurando um pouco o olhar viu um leve fluxo de água saindo por baixo da última porta. A água começou a alagar o corredor e Gustavo foi até a fonte da água, seguido por Jethro. Colaram o ouvido na porta e ouviram o barulho de pessoas caminhando na água e vozes dando ordens. Esse era o sinal. Os dois se afastaram da porta à distância que a largura do corredor permitiu e se jogaram contra ela. Uma, duas, três vezes. A porta não dava sinais de ceder. Nesse momento, ouviram passos de pessoas, em marcha, subindo as escadas próximas ao elevador. Se fossem os Minotauros não haveria muito a fazer. Irromperam das escadas oito homens uniformizados carregando enormes bolsas cheias de equipamentos. Logo atrás vinha Gaspar.

Jethro e Gustavo foram, então, afastados da porta e os homens derrubaram-na com uma espécie de aríete, sacaram as armas e entraram porta adentro. Gaspar puxou Jethro e Gustavo para uma distância segura e explicou:

– Não se espantem! Vocês foram monitorados quase o tempo todo. Perdemos vocês somente quando Clarice foi raptada e logo que entraram no prédio. Fora isso, apenas deixamos vocês trabalharem em paz. Isso precisava ser resolvido pelo Guardião.

Quando iniciaram os disparos, Gustavo precisou ser segurado por Jethro para não entrar imprudentemente nas salas, em busca da irmã. Jethro tinha certeza de que aquela pequena força dos Centauros sabia o que estava fazendo. Gaspar devia estar muito preocupado com a missão para usá-los publicamente daquela maneira. O "braço" militar dos Centauros era convocado somente em situações extremas e a presença deles naquele episódio era reconfortante, mas preocupante, já que aquela estava sendo considerada uma situação extrema pela direção da Ordem. Em poucos minutos, Clarice apareceu, carregada pelos Centauros Militares.

* * *

Clarice já havia perdido as esperanças de ser encontrada. Quase duas horas haviam se passado e nem sinal do irmão ou de algum Centauro. A posição incômoda em que ficara dificultava a circulação e ela gemia com as mil agulhadas que sentia nas extremidades dos membros quando tentava se esticar. Num estado de semiconsciência, relembrava os dias mais agitados que já havia passado em sua vida, os dias na sede dos Centauros. Lembrava-se de sua hesitação inicial, contrariando sua maneira de ser, e da certeza que Gustavo tinha, contrariando a maneira dele. Por que Gustavo não vinha em seu socorro? Afinal, ele era ou não era o tal do Guardião?

Em seu estado dormente, julgava até mesmo ouvir a voz de Gustavo chamando por ela.

Clarice!, dizia a voz ao longe. De repente, pareceu-lhe ouvir a voz mais alta do que seria normal num sonho. Uma, duas, três vezes. Gustavo realmente gritava por ela. Ele estava lá fora. Procurando-a. Animada, Clarice se mexeu como pôde. Com um dolorido esforço, ficou quase de pé. Na porta que dava para o outro cômodo só havia silêncio. Depois de algum tempo, ouviu risos baixinhos e debochados. Pelo jeito, Gustavo não havia percebido que ela estava lá e seus raptores riam aliviados por terem feito o Guardião de palhaço.

Clarice gemeu de dor e tristeza, mas logo se recompôs. Juntando toda determinação que tinha, começou a imaginar um modo de mandar algum sinal para seu irmão.

Lembrou-se das brincadeiras e jogos infantis que faziam no pátio da casa onde nasceram e moraram a maior parte da vida. Lembrou-se de como Gustavo sempre brigava com ela quando criança, devido a sua capacidade de deixar tudo bagunçado em questão de segundos. Geralmente, quando acabava o divertimento, Clarice sumia e Gustavo "herdava" as tarefas. Ela não era capaz nem de fechar as torneiras depois da "guerra" de água que faziam com as mangueiras durante todas as tardes de verão, apesar das advertências de Gustavo sobre o desperdício de água e a saúde do planeta. Se Gustavo percebesse alguma coisa fora do normal, alguma bagunça naquele corredor, saberia que vinha dela e que ela estava ali presente.

De repente, a torneira que havia naquela pequena sala escura deu uma ideia à Clarice. *Gustavo detestava que eu deixasse a torneira aberta, não é? Aposto que dessa vez ele não vai reclamar.* Cambaleando, andou vagarosamente até a torneira e, num último esforço, jogou-se de joelhos em cima do cano da torneira. Felizmente o cano escondido pela tinta branca era de plástico e não de ferro. Minutos depois, um forte jato espalhava água por toda a pequena sala. Do outro lado da porta, gritos furiosos eclodiam. Logo após essa atitude de Clarice, tudo foi muito rápido. Mais gritos, alguém derrubando a porta externa e depois a porta do aposento em que se encontrava, tudo isso em meio a tiros e barulho de gente lutando. Clarice foi rapidamente carregada para o corredor do prédio, ainda amarrada, dolorida, encharcada e atordoada. Ao passar pela sala na qual se encontravam antes seus raptores, viu um conhecido rosto entre os diversos homens que estavam caídos, mortos no chão. Logo viu Gustavo indo ao seu encontro. Deitada no chão, foi desamarrada e só teve tempo de falar poucas palavras para Gustavo antes que uma equipe de paramédicos a cercasse e a colocasse no balão de oxigênio.

– Gustavo! É Alexandre, Gustavo! Ele está lá dentro! Morto!

Gustavo pensou em conferir pessoalmente a informação de Clarice, mas mudou de ideia e procurou ficar próximo da irmã. Gaspar que cuidasse daquele caso todo dali pra frente. No dia seguinte, se Clarice estivesse bem, poderiam pensar novamente nessa história de Artefatos, mas naquele momento já tinha tido a sua cota de preocupações. Clarice adormeceu dois minutos depois de começar a receber o oxigênio. Depois de constatar que ela estava bem, embora inconsciente, Gustavo ficou mais descansado. Havia perdido contato com Jethro desde o início daquela confusão. Encontrou-o junto de Gaspar, observando os corpos dos Minotauros e do traidor, Alexandre, sendo colocados naqueles grandes sacos pretos e retirados pelos militares da Ordem.

Apesar de toda a atividade frenética que se desenvolvia, Jethro permanecia calado, e Gustavo temeu que ele tivesse ficado abalado demais com tudo aquilo. Gaspar comandava a situação com autoridade. Em questão de minutos, a pequena tropa dos Centauros limpou o local. Mal se viam vestígios do que havia acontecido. Gustavo, Gaspar e Jethro desceram as escadas do prédio e entraram em uma van que os esperava na saída da galeria. Gustavo viu os paramédicos colocando Clarice em uma ambulância que partiu, apressada. Antes que a van deixasse o local, viu ainda a tropa dos Centauros colocando os corpos na traseira de um furgão e partindo logo em seguida.

Gustavo estava cansado, tanto física quanto emocionalmente, e não tinha disposição para falar. Queria chegar rápido à sede e ficar imóvel por algumas horas, e era o que faria, assim que soubesse notícias da saúde da irmã e exatamente onde ela se encontrava no momento. Esperava que a levassem também para a sede, ficaria mais tranquilo se tivessem feito isso. Amanhã era outro dia e uma boa noite de sono resolvia muitos problemas. Com Gaspar cuidando da situação com tanta segurança e competência, ele se sentia bem mais reconfortado, apesar de toda aquela situação quase surreal.

Gaspar parecia feliz por ter, finalmente, resolvido, pelo menos em parte, a situação dos Artefatos. Havia informado Jethro e Gustavo, todo sorridente, que o Artefato Menor havia sido encontrado: estava firmemente seguro nas mãos de Alexandre quando este foi alvejado na sala da Galeria do Rosário. A busca de anos havia acabado. Os três Artefatos estavam em poder dos Centauros, ou pelo menos dois deles, e o terceiro, sob observação. Poderiam, finalmente, realizar a neutralização dos Artefatos, de novo, como haviam tentado no tempo de Jethro. Segundo Gaspar, Gustavo deveria continuar alerta e preparado, pois a neutralização exigiria muito dele ainda. Gustavo não pareceu muito animado com a ideia.

15
GUSTAVO DISCUTE COM GASPAR

Após certificar-se de que a irmã estava na enfermaria da sede dos Centauros e bem de saúde, ainda que sedada, Gustavo foi atrás de Jethro, mas não o encontrou em lugar algum da sede. Por fim, resolveu ir para a cama descansar os músculos doloridos e colocar a cabeça no lugar. Fora informado de que haviam sedado Clarice já no balão de oxigênio, por isso ele não havia conseguido falar com ela. Temiam que a tensão pela qual a moça havia passado causasse prejuízos tanto mentais quanto físicos. Gustavo achava que não era para tanto, a irmã pareceu-lhe bem nas poucas palavras que trocaram antes que ela adormecesse em função da sedação, mas não teve ânimo para discutir isso no momento em que tudo ocorreu.

Nada como um dia depois do outro, com uma noite no meio, para pôr a bagunça mental no lugar, pensou ele.

Adormeceu logo que pôs a cabeça no travesseiro.

* * *

Na manhã do dia seguinte, tudo pareceu melhor. Acordar às sete e tomar um bom banho deixaram Gustavo cheio de disposição.

Dirigiu-se para a enfermaria. Passou rapidamente pelo leito de Ben Hur, cuja situação finalmente se estabilizara, apesar de depender quase inteiramente dos aparelhos aos quais estava ligado. O segundo envenenamento fora feito com alguma espécie de veneno muito sutil e eficaz, de forma que não tinham ainda conseguido detectar exatamente o que havia ocorrido em seu organismo. Só então foi ficar ao lado de Clarice. Já havia sido informado de que ela não acordaria antes das nove, mas queria permanecer ao lado da irmã. Assim que ela acordasse, teriam muito para discutir e analisar. Lembrava-se de um conselho que Jethro havia lhe dado bem no início da crise: "Fica de olhos e ouvidos atentos e confia na tua intuição do que é certo e do que é errado". Depois da noite anterior, o conselho lhe viera à mente. Talvez algo não estivesse tão bem como pensava Gaspar. Jethro tinha percebido algo que ainda não compartilhara com ele. *Esse é o papel do Guardião. Preciso ver o que os outros não veem e ter* certeza, além das aparências, de que as coisas estão correndo bem. Está na hora de o Guardião tomar as rédeas desse negócio.

No exato momento em que Gustavo tomou essa decisão, Gaspar entrou no quarto onde ele velava sua irmã.

– Tudo pronto – disse Gaspar, animado.

– Tudo pronto o quê? – perguntou Gustavo, timidamente.

– A preparação para a neutralização, ora.

– Ah! E é para quando?

– Já recebemos do Flecha designado para essa região a informação a respeito da localização do Artefato Maior e, de posse da mesma, que se encontra lacrada em um envelope na minha sala, marcamos a neutralização para hoje à tarde, às três horas. Precisamos usar logo a informação e nos livrar dos Artefatos!

– Não concordo – disse Gustavo, ainda hesitante.

– Como assim, não concorda; não concorda com o quê? – perguntou Gaspar, demonstrando mais irritação do que gostaria.

Após um momento de silêncio, Gustavo levantou-se e falou com o sangue lhe subindo à cabeça:

– Não concordo que seja hoje, não concordo com não saber de mais informações de tudo o que está acontecendo, não concordo com marcar um evento importante desses sem nem saber se minha irmã está realmente bem. Ou seja, não concordo com um monte de coisas! Vocês me disseram que eu sou o Guardião, mas até agora não passei de uma marionete. Vocês me disseram como foi difícil lidar com os Artefatos no passado e, agora, quando é comigo, querem que tudo se resolva magicamente de um dia para o outro, como se tudo fosse um passeio num parque de diversões. Eu tenho estudado a história dos Guardiões e com nenhum outro Guardião as coisas foram tão fáceis como vocês querem pintar para mim. Se esperamos até agora para que essa bendita neutralização ocorresse, não vai ser mais um ou dois dias que vão colocar tudo a perder. Eu é que vou te informar quando estarei disposto a fazer o procedimento e neutralizar esse bendito ou maldito Artefato.

Engolindo em seco e contendo o que parecia ser um sapo na garganta, Gaspar finalmente disse:

– Muito bem! Estamos aguardando, então, dentro desses próximos dois dias uma comunicação sua.

A seguir, deu as costas e saiu do quarto e da enfermaria demonstrando uma cólera contida.

Gustavo segurou as pernas que começavam a tremer e, quando se sentou, olhou para irmã já desperta (não é que a menina, agitada do jeito que era, acordara antes do tempo?!), que lhe disse:

– Muito bem, irmãozinho, é assim que se faz!

* * *

Não se sabe como, mas a pequena discussão entre Gaspar e Gustavo correu pela sede dos Centauros. Todos viram como Gaspar havia saído da enfermaria e quiseram saber o que houve. E, pelo jeito, alguém sabia e contou para quem quisesse ouvir. Muitos haviam virado a madrugada para organizar o suporte aos procedimentos de neutralização, mesmo sem saber exatamente do que se tratava, e as novas informações diziam que o procedimento não iria se realizar como planejado inicialmente. Apesar de ficarem ligeiramente chateados com a situação e com a noite sem sono, não podiam deixar de achar cômico o fato de Gaspar, o manda-chuva do Núcleo, ter que se submeter às condições daquele garoto novato na sede.

Jethro também ficou sabendo do atrito entre Gustavo e Gaspar. Resolveu procurar logo Gustavo e falar sobre algo que o estava preocupando e que poderia ter relação com sua discussão com Gaspar. Esperava encontrar com os irmãos antes que saíssem da enfermaria. Decidiu enviar uma mensagem escrita para o Guardião marcando o encontro. Escreveu uma pequena nota para Gustavo e chamou Bernardo, um menino que fazia as vezes de mensageiro dentro da sede, para que levasse o bilhete ao seu destino.

Após liberar-se de alguns afazeres matinais e passar um tempo na biblioteca pesquisando, dirigiu-se ao refeitório a fim de apanhar um sanduíche de atum para levar a Gustavo que, se ainda conservasse o mesmo apetite das outras refeições que fizeram juntos, já deveria estar morrendo de fome.

Na metade do caminho, suspeitou que alguém o seguia pelos corredores. *Deve ser coisa da minha cabeça, eu estou dentro da sede dos Centauros!* Só por precaução, fez alguns desvios inúteis, mas a "sombra" continuava atrás dele. Depois de fazer um caminho bem mais longo do que planejara no início, o antigo Guardião chegou ao refeitório. O local funcionava no estilo *self-service* e, na saída, cada um passava seu cartão e debitava o que devia. Mesas brancas e sólidas para quatro pessoas cercadas por cadeiras confortáveis compunham o local. Devido ao horário, próximo do almoço, várias pessoas entraram atrás de Jethro pelas duas amplas portas do refeitório. *Quem estará me seguindo?* Enquanto degustava um polpudo pedaço de bolo de cenoura com cobertura de chocolate, Jethro analisava as figuras que entravam. Apostaria todas as suas fichas em um sujeito magro, alto e de cabelo raspado, vestindo um terno estilo safári que ele reconheceu como um antigo amigo de Alexandre. *Pelo visto, apesar da morte de Alexandre, os Minotauros continuam com suas patas em nossa sede.*

* * *

Na enfermaria, Gustavo havia recebido o bilhete de Jethro.

Caro amigo,

Prudência nunca é demais. Precisamos conversar sobre os acontecimentos da noite passada. Chego aí antes das 11 para analisarmos, todos juntos, se real-

mente é a hora de realizarmos aquele procedimento. Tenho certas suspeitas. Já soube do incidente de hoje de manhã. Não te preocupes, você agiu certo. Logo mais nos falamos.

J.

P.S. Conhecendo teu apetite e a precariedade da comida servida onde te encontras, levo um sanduíche de atum para amenizar tua fome até o almoço.

Gustavo e Clarice não puderam deixar de rir do P.S. de Jethro. Ele adorava os tais sanduíches e de vez em quando carregava um ou dois, oferecendo a qualquer pessoa que manifestasse o mínimo sinal de fome. Mas perceberam que todo o bilhete, incluindo a parte que falava sobre o sanduíche, seria pouco revelador para quem não conhecesse o assunto. O antigo Guardião estava deliberadamente deixando transparecer que continuava preocupado com a situação e que não partilhava o otimismo de Gaspar. Agora só restava esperá-lo.

* * *

Jethro havia decidido. Iria abordar abertamente o sujeito e descobrir logo o que os Minotauros estavam tentando aprontar dessa vez. Ele parecia mais forte que Jethro, mas a idade lhe havia dado outras armas além da força. Como todo bom Arco, havia desenvolvido uma série de habilidades que lhe capacitavam enfrentar qualquer oponente de força mediana.

Esperou que o tal sujeito se sentasse. Ele escolheu uma mesa um pouco mais isolada num canto, ideal para as intenções de Jethro. Após terminar o bolo, Jethro se levantou e, depois de alguns passos, sentou-se decididamente na mesa do homem.

– O amigo deseja alguma coisa comigo? – disse Jethro.

– Ficou tão evidente assim? – perguntou, inseguro, o rapaz.

– Sem dúvida! – após ver a insegurança do moço e perceber que ele havia acabado de entrar na casa dos vinte, começou a se perguntar se tinha acertado nas conclusões que fizera a respeito de suas más intenções. – Mas fale logo homem, ser amigo do falecido Alexandre conta como uma péssima referência nesta época conturbada.

– Não posso falar agora – disse o rapaz, nervoso.
– Tenho certeza de que alguém me seguiu até aqui.

Vamos nos encontrar mais tarde. Que tal no jardim interno por volta das 19 horas? – diante do olhar de dúvida de Jethro, o rapaz completou. – Você pode levar Gustavo e Clarice, se quiser! Vocês não têm nada a temer de mim. Eu era bem amigo do Alexandre, é verdade, mas as coisas não são como parecem, tem muita coisa que vocês precisam saber. Preciso sair agora, mais tarde conversamos.

Jethro ficou mais alguns segundos na mesa após o estranho rapaz deixar o refeitório. Perto da mesa central esbarrou em Gaspar, que já não demonstrava nenhum vestígio de contrariedade.

– Jethro! Como você está? Gustavo também ficou abalado com toda aquela situação de ontem. Resolvemos, a pedido dele, adiar um pouco a próxima etapa da nossa missão. Ele ainda está na enfermaria com Clarice e prometeu, logo mais, conversar comigo para marcarmos uma nova data para aquele procedimento.

Gaspar era sempre tão senhor de si, mas parecia aparentar uma calma e uma tranquilidade além da normalidade do que se esperava após a sequência de acontecimentos dos últimos dias e do atrito com Gustavo. Definitivamente, algo não ia bem. Tinha

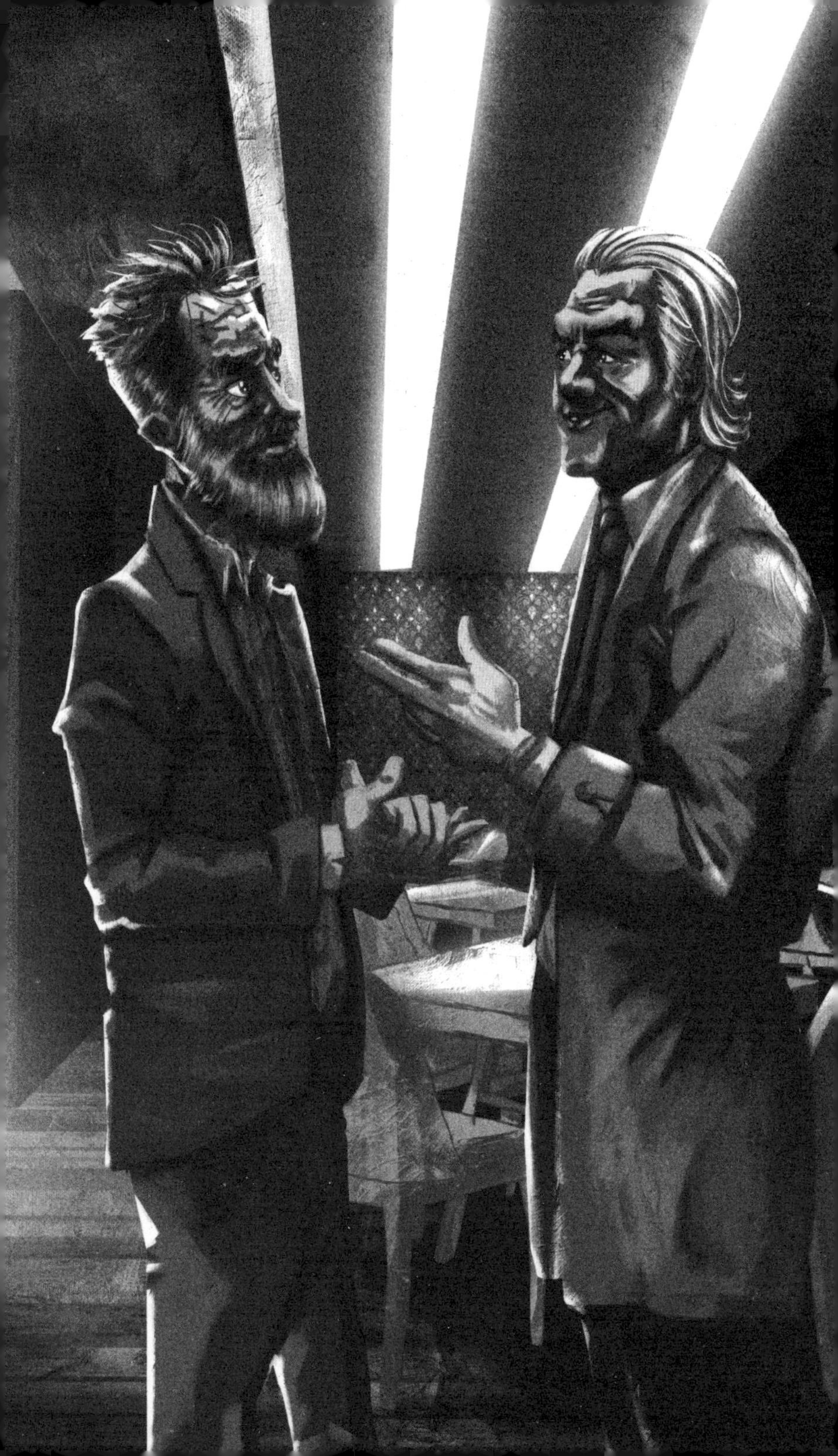

confiança em Gaspar, mas ele parecia estar escondendo algo ou estar submetido a uma pressão além do que podia suportar.

— Eu estou bem – disse Jethro sem muita emoção. — Já fazia algum tempo que a minha vida não tinha tanta correria. Me cansei mais do que imaginava, só isso.

— Fico feliz que seja assim. Tentamos falar com você, ontem, mas seu celular estava desligado e o telefone do quarto só chamava. Achamos que tinha ido para casa. Aliás, sua esposa ligou e deixou um recado. Falou com a minha secretária e ela me deu o recado num papel que deve estar em algum lugar por aqui – enquanto dizia esta última frase, Gaspar remexia os bolsos. – Ah! Me lembrei! Ando com a cabeça voando nesses últimos dias, deixei o bilhete no bolso da outra calça. Podemos ir ao meu escritório pegá-lo agora mesmo. Acho que era algo sobre algum remédio que ela queria que você levasse quando fosse para casa.

Jethro não desejava ficar a sós com Gaspar naquele momento. Sabia que não tinha nada a temer da parte dele, mas queria conversar com Gustavo e Clarice antes de relatar suas desconfianças. Queria também ter o tal encontro no jardim interno para conseguir mais informações e solidificar seus argumentos. Se ficasse muito tempo com ele, o jeito gentil e investigativo de Gaspar o faria falar alguma coisa e logo já teria contado tudo ao diretor do Núcleo. Mas também não podia dispensá-lo sem explicações, ainda mais diante do fato que ele tinha um recado de sua esposa.

– Está bem. Eu tenho um compromisso agora, mas se formos rápidos não vou me atrasar muito.

– Certo, certo. Vamos resolver bem rápido essa questão.

Jethro sentiu um tom diferente na voz de Gaspar, mas tudo estava diferente naqueles dias, pensava ele, enquanto retirava dois sanduíches de atum de uma bandeja próxima.

16
REFLEXÕES NA ENFERMARIA

DIFERENTEMENTE DE CLARICE, QUE SEMPRE SE atrasava, e de Gustavo, que sempre chegava mais cedo, Jethro costumava chegar exatamente no horário para seus compromissos. Já eram 11:15 horas e nem sinal de Jethro na enfermaria. Apesar de saber que 15 minutos não eram um grande atraso, Gustavo passara a desconfiar de tudo que saía fora da rotina.

Meia hora depois das 11, a porta do quarto de Clarice se abriu e, para surpresa de Gustavo, foi Gaspar quem apareceu.

– Olá, Gustavo! Vim me desculpar pela situação de hoje cedo. Estou tão ansioso por resolver logo toda essa questão dos Artefatos que acabo atropelando todo mundo. Acabei exigindo demais de você e de todo o pessoal que varou a noite arrumando e organizando a neutralização. Vim te dizer que acho que foi mais do que razoável a tua atitude e que estou, afinal de contas, muito feliz pelo Guardião estar assumindo seu papel de forma mais efetiva.

Gustavo ficou um pouco atônito com toda aquela mudança de atitude de Gaspar, mas achou positivo. Só conseguiu balbuciar um "muito obrigado".

– Estamos aguardando a tua decisão. O pessoal está todo a postos e ansioso, como eu, para completar essa missão.

– Muito obrigado – disse Gustavo de novo, porém, desta vez, com mais confiança. – Tenho certeza de que isso não vai demorar. Já vi que Clarice está bem, até já se levantou e está logo ali, no quarto do Ben Hur. Mas, de qualquer maneira, eu gostaria de falar com Jethro antes de dar uma resposta definitiva sobre o dia em que faremos a neutralização. Você sabe por onde ele anda?

– Ah, sei sim! Nós estamos bem preocupados com ele, acho que a idade está pesando um pouco para Jethro. A esposa pediu que ele fosse para casa. Ela precisava que ele levasse algum remédio que estava em falta e eu sugeri que ele ficasse por lá até que você decidisse o dia. Mesmo resistindo muito, ele aceitou minha sugestão, mas somente depois que eu disse que você, certamente, me apoiaria nessa sugestão. Já que, assim como se preocupava com a saúde de Clarice, se preocuparia, na mesma medida, com a saúde dele.

– Ah. Tá bom então. Foi uma ótima ideia. Que bom que Jethro está descansando um pouco – disse Gustavo, procurando dispensar logo Gaspar, mas sem querer que ele percebesse.

– Sabia que teria o teu apoio. Posso fazer alguma outra coisa por você? – perguntou Gaspar, todo sorrisos e gentilezas.

– Na verdade pode. Por mim e por Clarice. Gostaríamos que algum médico viesse dar alta para ela, pois nós queremos descansar um pouco em nossos quartos.

– Pode deixar comigo! – Gaspar retirou-se e logo em seguida chegou Clarice.

– E aí, Clarice! Como está Ben Hur?

– Oficialmente, na mesma, mas eu sinto que ele está melhorando, ainda que lentamente.

– Sente? – perguntou Gustavo, debochando.

– É guri, sinto. Amizade faz a gente sentir essas coisas, sabia? Pelo jeito Jethro ainda não chegou, não é? – completou Clarice.

– Não, mas, em compensação, Gaspar passou aqui.

— Gaspar?! E o que ele queria?

— Senta aí! Acho que chegou a hora de termos uma conversa séria. Acredito que as coisas não vão ser moleza daqui para a frente.

— Também acho, mas, pelo menos, já temos os Artefatos. E assim que nos aconselharmos com Jethro, podemos traçar um plano do que fazer nos próximos dias.

— Isso "se" falarmos com Jethro.

— "Se" falarmos? Como assim?

— O que mais temos agora são *ses*, Clarice.

Gustavo e Clarice conversaram e discutiram por quase uma hora. Procuraram fazer um levantamento de tudo o que tinha acontecido até então, todas as certezas e incertezas. Jethro devia ter bons motivos para suspeitar de que algo mais estava acontecendo. Mas, se o principal responsável por toda essa confusão tinha morrido, o que mais poderia estar errado? Tinham mais perguntas que respostas. Entre as perguntas: *Existe mais algum traidor? Gaspar estaria escondendo alguma coisa? Por que ele se mostrava tão apressado para resolver tudo? Seria somente ansiedade para pôr um fim nos Artefatos ou algo mais? Onde está o homem com a face deformada que foi visto chegando a Porto Alegre, já que ele não estava entre os que foram mortos na Galeria do Rosário? Onde está o resto dos Minotauros? Onde está Jethro agora? Por que ele não veio encontrá-los na enfermaria? Seria verdadeira a desculpa esfarrapada que Gaspar deu? Se Gaspar tivesse conhecimento do bilhete deixado por Jethro, a conversa seria a mesma?*

Concluíram que Jethro teria avisado pessoalmente ou através de outro bilhete se não pudesse ir ao encontro com eles e sabiam que precisavam da ajuda dele para desatarem esse nó. Tinham dúvidas a respeito do envolvimento de Gaspar na história toda, mas, até prova em contrário, iriam acreditar que quem quis afastar Jethro da sede dos Centauros estava se aproveitando da ansiedade de Gaspar e enganando-o também, pois, afinal de contas, Gaspar tinha sido o maior opositor de Alexandre e o grande responsável pelos irmãos estarem sãos e salvos até agora, o que era uma credencial de fidelidade aos Centauros. Decidiram, finalmente, para tranquilizar Gaspar, marcar a neutralização para dali a dois dias. Nesse meio tempo, iriam contatar Jethro, executar a dura tarefa de olhar os corpos de Alexandre e dos outros Minotauros em busca de alguma pista que tivesse passado despercebida e estudar todos os procedimentos para a neutralização. Queriam tomar a frente da situação. Não era hora para se sentirem constrangidos pelo pouco conhecimento ou pela pouca idade. Se a Ordem queria que eles fizessem esse negócio, eles iriam fazer do jeito deles. Não eram eles os personagens principais daquela trama?

17
A SEDE É INVADIDA

Nem bem Gustavo e Clarice haviam definido uma estratégia a seguir, Gaspar voltou a abrir a porta do quarto.

– Oi, pessoal – disse ele com um sorriso. – Já estou com a papelada da liberação de Clarice. É só um de vocês assinar aqui e podem ir descansar.

De repente, um barulho seco, uma espécie de estampido agudo fez as luzes piscarem e, por fim, se apagarem. Em questão de segundos, as luzes de emergência da enfermaria se acenderam e tudo ficou envolto em uma luminosidade meio fantasmagórica.

– Ben Hur! – gritou Clarice.

– Calma, Clarice – tranquilizou-a Gaspar. – Felizmente o sistema que mantém os aparelhos da enfermaria funcionando não está ligado ao sistema principal. Ben Hur não deve ter sido prejudicado. Ele está a salvo. Em breve, o gerador do Núcleo deve começar a fornecer energia.

Saíram da enfermaria e perceberam que as luzes de emergência iluminavam toda a sede.

Lentamente, o pequeno gerador deu sinal de vida e alguns sistemas do prédio voltaram a funcionar. Mas não as luzes nem o ar-condicionado. Gaspar ligou um dos interfones e discou para a sala da diretoria.

Ninguém atendeu.

Após tentar várias outras salas, sintonizou o interfone na rádio interna e colocou-o no viva-voz. O que eles chamavam de rádio interna era um canal aberto para todos da sede que objetivava dar informações úteis. O que ouviram foi alarmante.

– ... ção, atenção! Estamos sob invasão! Estamos sob invasão! Suspeitamos que seja obra do grupo conhecido como os Minotauros. Um pequeno contingente, porém bem-armado, cortou a entrada de energia de nossa sede e avança cada vez mais no interior do nosso Núcleo. Solicitamos que todos os membros não treinados aguardem maiores instruções. Por enquanto, dirijam-se aos seus respectivos quartos e permaneçam calmos. Não é prudente que busquem a saída no momento, pois a mesma se encontra bloqueada. A todos os agentes treinados, solicitamos que se enquadrem no Plano de Ação 17A. Isto não é um treinamento! Repito. Isto não é um treinamento! Atenç...

— O que é esse Plano 17A? — perguntou Clarice, enquanto Gaspar desligava o interfone.

— Um procedimento padrão para o caso de invasão da sede. Fazemos um treinamento todo mês. Depois falamos sobre isso, agora precisamos sair daqui.

— Mas a segurança disse... — tentou Gustavo.

— Eu sei o que ela disse. Mas você é o Guardião e não pode ser apanhado pelos Minotauros. Nós vamos por uma saída alternativa que somente eu e mais alguns Centauros graduados conhecem.

— E vamos deixar os Artefatos para eles? — questionou Clarice.

— Os Artefatos não estão aqui desde hoje de manhã, bem como todo o pessoal envolvido com a neutralização. Ainda que vocês tenham adiado o procedimento, eu preferi deixar tudo em prontidão para implantá-lo em segundos, caso necessário. E, apesar de não saber para quando vocês iriam marcar a neutralização, acho que devemos considerar a possibilidade de fazê-la imediatamente. Os Minotauros estão na nossa cola, e quanto mais cedo nos livrarmos disso, menos chances de eles conseguirem os Artefatos.

Gustavo não pôde deixar de perceber que, de um jeito ou de outro, a neutralização acabaria ocorrendo da forma que Gaspar queria, ainda que ele não fosse culpado disso. Ao mesmo tempo, admirou a eficiência e previdência de Gaspar. Graças a ele, aumentavam as chances de colocarem um fim naquilo tudo. Ainda assim, não se sentia nem um pouco à vontade com a situação e com o fato de, praticamente, estar sendo forçado pelas circunstâncias a proceder com a neutralização imediatamente.

Clarice, desconfiada como sempre, também se sentia desconfortável, mas, assim como Gaspar e Gustavo, queria acabar logo com aquela história e não via outra alternativa, a não ser fazer como Gaspar sugeria.

Sentiam por baixo do quase sorriso de Gaspar que ele demonstrava uma pontada de satisfação por ter conseguido obrigá-los a fazer o procedimento conforme queria.

O gosto era amargo, mas inevitável.

– Está bem, então – disse Gustavo, finalmente concordando. – Pode começar a fazer os contatos necessários, vamos fazer a neutralização.

– Vocês tomaram a melhor decisão. Assim que estivermos na superfície, colocarei todo o suporte em funcionamento. Não se preocupem, vou orientá-los durante quase todo o processo. Vocês estarão seguros comigo.

18
AS COISAS SE COMPLICAM

Poucos minutos após as luzes se apagarem, Ben Hur abriu os olhos e tomou, novamente, consciência de estar vivo. Estava com o pensamento confuso, não se lembrava do que tinha acontecido nem o que fazia na enfermaria, cheio de tubos e fios. Depois, passou a ter *flashes* de memória. Lembrou os dias de angústia lutando contra o veneno na corrente sanguínea. Valera a pena começar a desenvolver a habilidade de transmutação de venenos logo após a Copa Quíron. Mas foi necessária ajuda externa para que Ben Hur tivesse chances de sobrevivência. Ele não lembrava quem, mas alguém, talvez para descobrir quem era o autor da tentativa de homicídio, resolveu apostar e forneceu ao seu corpo paralisado a ajuda certa, e perigosa, para combater o veneno. Lembrava de ter quase morrido nos segundos de consciência que adquirira em tal tentativa e de ter visto, rapidamente, a face de Alexandre. Felizmente, a química, quase outro veneno, que lhe fora injetada por essa pessoa, numa atitude tão ousada, ou desesperada, acabou dando resultado e então, com a sua habilidade recém-iniciada de transmutar venenos, ele sobreviveu. A memória aos poucos voltava. Quem o atacara queria fazê-lo atacando-o com uma arma contra a qual, como ficara evidente devido à Copa Quíron, ele não tivesse defesa.

E Alexandre se encaixava bem nesse perfil.

Mas somente alguém bem mais chegado ou mais bem-informado saberia que uma quantidade normal de veneno não seria suficiente para matar Ben Hur, já que ele começara a desenvolver tal habilidade. Sim, agora os fatos lhe voltavam à mente. Não havia sido Alexandre o agressor.

Enquanto retirava fios e tubos, recordava o dia do ataque. Lembrava-se de estar com a sua Rural no estacionamento do prédio que ficava acima da sede dos Centauros quando uma figura conhecida acenou para ele enquanto caminhava em sua direção pedindo, por gestos, para trocar algumas palavras. Assim que se sentou no banco do carona, a pessoa da qual ele menos esperava uma atitude agressiva aplicou-lhe, sem hesitação, um poderoso veneno com uma pistola de pressão.

Sua vista foi escurecendo, seus músculos endurecendo e perdendo a mobilidade, e o rosto, até então insuspeito, de Gaspar se esvaindo, enquanto sorria com desdém.

Ben Hur balançou a cabeça querendo afastar tão dolorosas lembranças. Mas, graças a elas, poderiam pegar o verdadeiro traidor. Precisava avisar Gustavo, Clarice e Jethro! Onde andavam eles?

A esta altura, o quase ressuscitado agente Centauro já tinha percebido a semiescuridão por toda a enfermaria e, ao levantar-se da cama, perdeu as forças e quase caiu no chão, mas foi ajudado por um par de mãos a poucos centímetros do piso. Era Rayud, que viera à enfermaria justamente para verificar se a queda de luz não havia comprometido o suporte de vida de Ben Hur.

– Ben Hur! Você acordou! Mas não devia se levantar! Deve continuar na cama. Os aparelhos ainda estão funcionando e precisam continuar monitorando seu estado.

– Onde estão Gustavo e Clarice? – perguntou Ben Hur, nervoso e ofegante.

– Não faço ideia. Achei que ainda estivessem aqui depois do que aconteceu com Clarice.

– O que aconteceu com Clarice?!

– Calma, homem! Ouvi dizer que ela já está bem. Estava aqui somente por precaução, depois de haver sido raptada pelos Minotauros. Aliás, pelo relato de Gaspar, não havia mais nenhum perigo imediato vindo deles, mas, baseado na atual situação crítica, ele estava enganado.

– Que situação?! Não te esquece que eu estive apagado por sei lá quanto tempo!

– Mais tempo do que deveria. Depois que Alexandre tentou te envenenar novamente, ele desapareceu e ficamos sabendo que era ele o traidor. Mas o infeliz já foi encontrado e posto fora de ação. Senta dois minutos que eu conto tudo o que você precisa saber.

– Conta no caminho. Precisamos encontrar Gustavo e Clarice. Alexandre não era o traidor – e diante da face perplexa de Rayud, completou: – Não sei qual é a tal situação crítica a que você se refere, mas se prepara que as coisas vão ficar ainda piores.

* * *

Há muitos anos, Jethro não se permitia apanhar com tanta facilidade. Havia se deixado envolver pela conversa de Gaspar e, quando menos esperava, recebeu a pancada que o deixou desacordado tempo suficiente para ser amarrado, amordaçado e trancado em um armário no escritório de Gaspar. Pelo menos era onde ele suspeitava estar agora. Não havia a menor réstia de luz para que ele pudesse se orientar. Por algum motivo, nem mesmo entre as frestas do armário penetrava alguma luz. Apesar da situação complicada e de já ter passado do auge de sua forma física, havia desenvolvido habilidades suficientes para sair daquela situação, mas Gaspar fizera um bom trabalho e levaria uma ou duas horas para que ele conseguisse sair dali. O que significava que o novo traidor pretendia, num tempo menor, dar sua cartada final e fazer seja lá o que fosse que ele vinha planejando nesse tempo todo debaixo dos narizes de todos os Centauros da sede.

Aproveitando-se da posição de diretor do Núcleo, Gaspar podia ter comprometido muitos segredos da Ordem e a vida de grande parte dos seus membros. Jethro sabia que não era um grande amigo de Gaspar, mas tinham certa camaradagem e participavam da direção daquele núcleo há muitos anos. Não se conformava em ter sido traído daquela maneira e em não ter percebido toda a traição antes, quando as engrenagens ainda estavam em movimento. Jethro temia que ele fizesse algo contra os irmãos, sentia-se responsável por havê-los metido naquela enrascada e por não notar que Gaspar estava de parceria com Alexandre o tempo todo e, provavelmente, querendo fazer uma "queima de arquivo", havia dado um jeito de se livrar do rapaz. Para piorar a situação, tinha pasta de atum espalhada por todo o corpo. Gaspar, ao amarrá-lo, devia não ter se dado conta dos sanduíches no bolso de Jethro e havia esmagado e esfregado os tais sanduíches por todo o seu tronco. Trancado, apertado e fedendo daquele jeito, Jethro entendia como uma sardinha devia se sentir.

De repente, um baque surdo na porta do escritório. Seguido de outro e mais outro. Mais uma tentativa e a porta do escritório veio abaixo. Alguns segundos mais e a porta do armário onde estava Jethro foi arrancada e arremessada longe. Através da porta do escritório, penetrava a luz difusa das lâmpadas de emergência marcando a silhueta de um homem alto e forte que Jethro logo reconheceu.

– Como vai, meu amigo?! – disse Jethro.

— Ah! O senhor esta aí? A luz apagou e eu fiquei com medo. Acabei derrubando a porta da detenção e quis vir atrás do senhor. Senti o cheiro do sanduíche que o senhor tinha esquecido de me levar antes do almoço. Será que alguém vai brigar comigo por eu ter derrubado essas portas?

— Não, Touro, não se preocupe, meu filho. Apesar do estrago, você fez bem em vir atrás de mim. O seu amigo está todo amarrado aqui. Me dê uma mãozinha e vamos ver se conseguimos salvar alguma coisa dos sanduíches que eu levava no bolso.

* * *

Clarice já estava amaldiçoando a escadaria que teve de subir para chegar à superfície. *Por que tudo envolve sempre subir e correr?* Gaspar conhecia uma saída alternativa reservada à diretoria do Núcleo em situações como aquela, mas, infelizmente para Clarice, era uma escada comprida demais.

Logo após fecharem a tampa que imitava uma saída de esgoto de um duto desativado, Gaspar sacou o celular e começou a digitar mensagens que colocavam a engrenagem da neutralização em funcionamento.

– Muito bem! – disse Gaspar. – Daqui a pouco receberemos, dentro de duas pequenas caixas, os Artefatos Menor e Médio. Um motoboy já está trazendo-as. Enquanto isso, passo às tuas mãos o envelope com a informação sobre o Artefato Maior.

Na verdade o envelope era uma espécie de visor de plasma do tamanho e espessura de um cartão-postal. Logo que Gustavo segurou-o com a mão direita, o visor adquiriu um tom azulado e puderam ser lidas as palavras: *Vibração do Guardião confirmada. Procedendo à liberação da mensagem.*

E apareceu a localização do Artefato Maior.

Gaspar aproximou-se para espiar por cima do ombro de Gustavo. Por um instante, meio que por instinto, o Guardião hesitou em deixar que ele visse a informação. O envelope pareceu reagir a esse pensamento e apagou-se de repente.

– E então, o que dizia a mensagem? – perguntou Gaspar.

– Não importa o que dizia! – cortou Clarice, prática como sempre. – Deve haver um motivo para que só o Guardião possa saber essa informação. Vamos deixar Gustavo tomar conta dessa parte do procedimento.

– Está certo – disse Gaspar, mordendo o lábio inferior antes de falar. E, após recompor-se, completou: – Guarde bem, então, a informação, e vamos aguardar os Artefatos chegarem.

Gustavo olhou, aliviado, para Clarice. Realmente sentia que deveriam manter secreta a localização do Artefato Maior, mas não saberia como esconder isso de Gaspar naquelas circunstâncias.

Pouco depois, chegou o tal motoboy trazendo uma maleta de couro, que, após ter seu conteúdo verificado pelo diretor do Núcleo, foi entregue a Gustavo.

– Clarice tem razão! – disse Gaspar. – Vamos deixar os Artefatos com o Guardião.

As súbitas mudanças de atitude de Gaspar vinham se repetindo naquele dia. *Confia na tua intuição*, dissera-lhe Jethro. Já estava na hora de ele começar a fazer isso. Alguma mudança muito estranha vinha acontecendo com Gaspar.

– Então, agora estamos prontos! Talvez vocês não percebam, mas temos duas dúzias de agentes demarcando um perímetro à nossa volta. Eles vão nos acompanhar aonde quer que formos e não deixarão ninguém suspeito se aproximar de nós.

* * *

Distantes dali, na avenida do Forte, Zona Norte de Porto Alegre, duas dúzias de agentes Centauro armados e equipados tentavam, em vão, contato com a sede. Estavam aguardando instruções de Gaspar, mas este não entrava em contato já fazia algum tempo. Seguindo suas instruções, haviam organizado o esquema de suporte para a neutralização naquela região, visto que, segundo ele, era lá que se encontrava o Artefato Maior.

Seria uma longa espera.

* * *

Gustavo liderava a caminhada e dirigia-se à Praça da Alfândega.

A Praça da Alfândega, cujo verdadeiro nome é Praça General Osório, até o início do século passado era propriedade particular e tinha sua região banhada pelas águas do Guaíba, sendo então conhecida como Costa do Rio. A sede da Alfândega ficava à sua esquerda. Hoje, completamente seca e distante do Guaíba devido a um aterro, essa histórica praça abriga, sempre por volta dos meses de outubro e novembro, a tradicional Feira do Livro de

Porto Alegre, época em que os jacarandás da praça florescem e pintam a paisagem de roxo.

Precisamente nessa época, no início da Feira do Livro, Gustavo chegava à praça em busca do Artefato Maior. Após consultar diversas vezes o envelope, sempre a uma boa distância de Gaspar, e transcorridos quarenta minutos de deslocamento em várias direções, Gustavo julgou ter encontrado o Artefato. Precisou "driblar" o pessoal que vinha de todos os cantos do estado e até mesmo de outras regiões do Brasil para passear pela feira e fazer suas compras com os melhores descontos do ano. Após superar o constrangimento de caminhar olhando para o chão e se abaixando de vez em quando, Gustavo, finalmente, parou.

– Está aqui! – disse Gustavo, apontando para o calçamento.

O calçamento da Praça da Alfândega é formado por milhares de pedras irregulares em três cores diferentes que, agrupadas e encaixadas, formam desenhos geométricos ao longo da praça.

Numa primeira olhada ninguém conseguiria identificar qual dessas pedras poderia ser o tal Artefato. Precisaram ignorar a multidão ao longo das bancas de livros, ainda que alguns dos transeuntes fizessem cara feia por eles estarem obstruindo o livre fluxo da feira. Após alguns minutos de observação, Gustavo percebeu que uma das pedras do calçamento tinha uma coloração ligeiramente diferente das pedras rosadas que formavam aquela parte do mosaico. Possuía uma cor um pouco mais intensa e, quando Gustavo tocou-a, a intensidade da cor aumentou ainda mais e ele sentiu um formigamento que percorreu todo o seu corpo.

– É esta aqui! – exclamou ele. Mas, antes de procurar retirá-la, pensou que seria melhor obter algumas respostas simples de Gaspar, e perguntou: – Se eu pegar a pedra, não vou sofrer os tais dos efeitos corrompedores que o Artefato Maior causa? Não estou nem um pouco a fim de me tornar o mais novo vilão do Planeta Terra ou algo semelhante.

– Boa pergunta – respondeu Gaspar. – A coisa não é tão automática assim. Isso aconteceria com o tempo e, historicamente, sempre que um Guardião aproxima os três Artefatos, eles perdem um pouco do seu poder. Isso acontece temporariamente como que para proporcionar ao Guardião possuidor dos Artefatos a oportunidade da neutralização, ou seja, o tempo necessário para levar os Artefatos reencaixados para o local certo. Local que faz parte do trabalho de vocês descobrir qual é.

– E se a neutralização não acontecer? – cortou Clarice, indo direto ao assunto.

– Se a neutralização não acontecer neste espaço de tempo, que deve ser mais do que suficiente, os Artefatos, unidos novamente como um único objeto, adquirem um poder ainda maior. Porém, não se têm boas referências quanto aos efeitos sobre a sanidade do possuidor e sobre sua integridade física, ou sobre os benefícios para a humanidade. Mas, infelizmente, a essa altura dos acontecimentos, não temos muitas opções, não é?

Gustavo sentia-se, de novo, sendo levado a aceitar decisões sem que tivesse plena consciência das consequências de seus atos e dos riscos que assumia. Hesitou por um momento. Mas não via escapatória. Para ele esses segundos pareceram uma eternidade. Quando já tinha se decidido a enfrentar tudo que viesse pela frente, ouviu novamente a voz de Gaspar num tom diferente do que se esperava em alguém presumidamente tão iluminado.

– Vamos! Pegue logo!

Ao ouvir a voz da única pessoa do Núcleo com que pensava poder contar no momento, imperiosa e autoritária daquele jeito, imediatamente lembrou-se de quando Touro invadiu seu apartamento e pediu a ele que entregasse logo o Artefato que possuía. Era o mesmo tom. O mesmo modo de falar. A mesma arrogância. Por um momento, sentiu como se uma venda fosse retirada de seus olhos e enxergou Gaspar como ele verdadeiramente era. Mais um homem enlouquecido pela fome de poder acima de qualquer interesse comum, acima de qualquer pessoa. Queria correr dali e procurar ajuda. Como ainda hesitava em retirar a pedra, Gaspar falou novamente. Desta vez, usando a Voz.

– Retire a pedra do calçamento.

Gustavo ouviu a ordem como se estivesse distante. Quando deu por si, seu corpo fazia movimentos que ele não desejava. Viu-se agachando e procurando desenterrar a pedra do calçamento. Com o canto dos olhos, pois não era capaz nem de virar a cabeça para o lado que queria, viu um sujeito surgindo não se sabe de onde e imobilizando a irmã. A face distorcida entregava sua identidade. Apesar de não ser mais nenhum garoto, o sujeito parecia

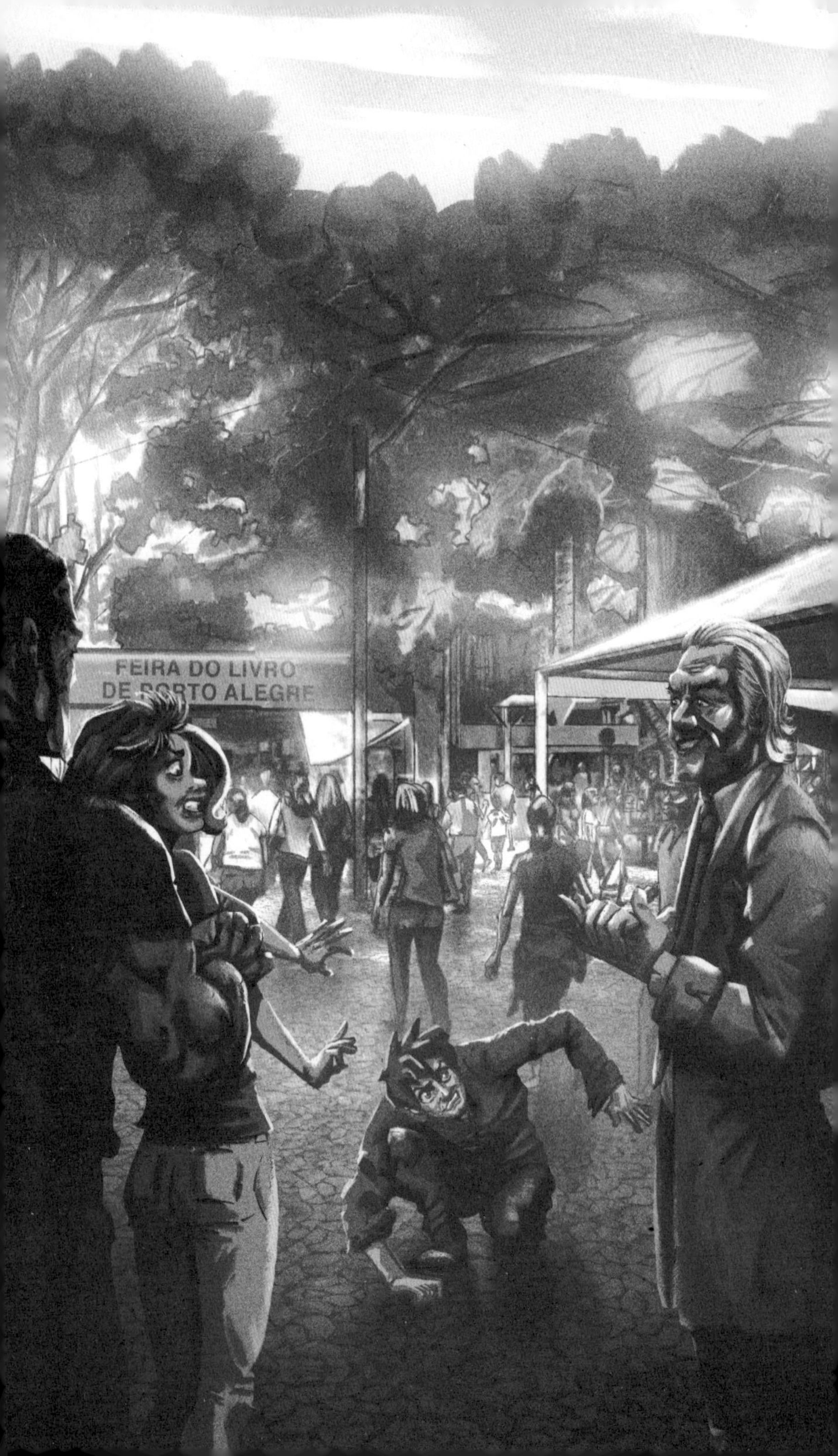
FEIRA DO LIVRO
DE PORTO ALEGRE

em boa forma física. O rosto que havia sido transformado quando obteve um dos Artefatos seria bem menos desarmonioso se o evidente ódio que sentia não estivesse estampado na sua face. Procurou perceber se algum dos Centauros que davam suporte ao procedimento vinha em seu auxílio. Viu o quanto continuava sendo ingênuo. É claro que Gaspar já havia organizado tudo com antecedência e levado os acontecimentos a se precipitarem daquela maneira. Não havia nenhum suporte. A própria invasão da sede devia ter sido arquitetada por Gaspar para forçá-los a fazer a neutralização nos termos dele. Ouviu Clarice gritar por alguns segundos enquanto tirava a areia ao redor da pedra, mas sua irmã logo teve sua boca tapada pela mão do Minotauro que a segurava. Curiosamente, ninguém na praça parecia notar o que estava acontecendo.

* * *

Na sede dos Centauros o clima era de guerra. Bombas de fumaça tornavam intransitáveis os corredores, e disparos contínuos de pistolas faziam que qualquer lugar fosse um ambiente de risco. Após trocarem informações a respeito dos acontecimentos dos últimos dias, Ben Hur e Rayud queriam mesmo era descobrir o paradeiro dos irmãos, mas acabaram precisando se enquadrar no plano de contenção de invasões da sede, o tal Plano 17A. Enquanto o tempo passava e os Centauros iam recuperando, pouco a pouco, o domínio sobre as salas e sobre os sistemas da sede, os dois perceberam que aquela era uma invasão muito estranha, pois em nenhum momento poderia ter dado certo. Quando a energia voltou a abastecer o Núcleo, mais de uma hora depois do início do ataque, a retomada da sede se deu naturalmente. Por mais bem-equipados que estivessem os invasores, não poderiam ter sucesso em um terreno estranho, com um contingente pequeno e contra pessoal tão ou mais bem-treinado e equipado que eles. Apesar de causar uma porção de transtornos, a invasão sempre esteve fadada ao fracasso. Deveria fazer parte de um plano maior, servindo apenas como distração de algo ainda pior. E era isso que Ben Hur e Rayud temiam.

***

Minutos depois de entregar o resto de um sanduíche de atum para Touro, que foi prontamente devorado, Jethro e ele se dirigiram para a mesma saída utilizada por Gaspar e pelos dois irmãos. Tiveram alguma dificuldade em chegar lá devido à confusão estabelecida pelos corredores da sede e ao perigo que isso representava, mas, após 15 ou vinte minutos, chegaram ao painel que escondia a saída secreta. Jethro, em sua posição no conselho do Núcleo, também a conhecia e podia utilizar-se dela. Após a cansativa subida pela longa escadaria, encontrou a tampa do túnel inclinado trancada por fora. Foi providencial Touro estar com ele. Com a força do novo aliado, não teve muita dificuldade em arrebentar a tranca e irromper na superfície. Ajeitou a tampa como pôde e se pôs a pensar que rumo tomar. Precisava encontrar os irmãos e fazer o que pudesse para salvá-los de Gaspar.

19
O DESTINO DOS ARTEFATOS

Parecia mesmo o fim de Gustavo e Clarice. A menina não conseguia pensar numa saída para aquela dificuldade e também não se lembrava de ter vivido uma situação tão extrema em toda a sua breve vida. *Além da minha superinteligência, que outra vantagem eu tenho em relação a esses dois Minotauros?*, pensou Clarice, com a modéstia que lhe era peculiar. *Sou mais fraca, menos experiente, menor. Mas ser menor não precisa ser, necessariamente, uma desvantagem. Vou mostrar que não é fácil segurar uma baixinha metida como eu!*

Gustavo nada podia fazer para resolver o problema. Aquela Voz tinha total domínio sobre ele. Continuou executando as ordens, mesmo que não tivesse a mínima intenção de obedecê-las. Ainda que todos os seus movimentos fossem um pouco mais lentos sob a influência da Voz, após alguns minutos já estava retirando a pedra do calçamento. O Artefato já havia se soltado quase totalmente, até que, com um esforço final, Gustavo o levantou e aguardou a nova ordem.

– Coloque-o na maleta – ordenou Gaspar.

Clarice continuava assistindo a tudo e buscando uma solução. Percebeu que o Minotauro que a segurava estava em uma espécie de transe, talvez utilizando alguma habilidade que mantivesse a cena escondida do público que passava por eles o tempo inteiro. A situação parecia controlada pelo sujeito e este não demonstrava estar fazendo um esforço muito grande para isso. Uma ideia veio à mente de Clarice, talvez não fosse a melhor saída, mas era uma tentativa, e qualquer ideia era melhor do que nenhuma. Começou a se mexer de todas as maneiras que conseguia tentando se libertar, aproveitando-se da flexibilidade de seu corpo pequeno e cheio de energia. O Minotauro teve a sua concentração parcialmente quebrada, tendo que fazer um esforço um pouco maior para manter o controle da situação ao mesmo tempo que tapava a boca de Clarice e a segurava. Então, repentinamente, ela parou de se mexer e soltou todo o peso do corpo. Plantou os dois pés firmemente no chão, quase se agachando, enquanto o Minotauro tentava levantá-la, e, de repente, com o maior impulso de que foi capaz, esticou ao máximo as pernas atingindo o homem bem no queixo com o alto de sua cabeça. O Minotauro cambaleou e soltou Clarice. Apesar de também ficar meio tonta com o impacto, Clarice avançou direto para a maleta que continha os dois Artefatos. Demoraria um segundo a mais do que possuía para agachar-se e pegar a maleta, então, simplesmente chutou-a o mais forte que pôde. Pretendia que ela saísse do alcance dos dois homens e lhe desse a chance de pegá-la onde quer que caísse. A maleta bateu no peito de Gaspar e um Artefato saltou de dentro dela, quase nas mãos de Clarice. A menina agarrou-o, ainda no ar, e disparou rua afora.

Logo percebeu que estava sendo seguida. Gaspar vinha um pouco atrás com o outro Minotauro, carregando Gustavo e a maleta. Apesar de apavorada, bem no fundo do pensamento, Clarice reservava um lugar para achar tudo aquilo muito engraçado e ridículo. Era a sua estratégia para continuar mentalmente sã. Em sua corrida pelo centro da cidade, os prédios e as pessoas passavam velozes por ela. Estava bem mais rápida do que normalmente suas pernas curtas permitiriam. *Era o poder do Artefa-*

to que carregava, concluiu. Tinha tirado uma boa vantagem no início, quando os Minotauros estavam tomados pela surpresa, mas agora os dois também usavam os poderes dos outros Artefatos e a alcançariam rapidamente. Precisava ir a algum lugar seguro, ou percorrer algum caminho no qual tivesse alguma vantagem. Cogitou ir direto a uma delegacia e botar a boca no mundo, mas, pelo que tinha percebido, Gaspar era bem-conhecido pelas autoridades locais, além de ter aquela famosa capacidade de persuasão. Era bem capaz de ela acabar sendo presa e ele condecorado.

Surpreendeu-se rumando para a Igreja das Dores. Quando subiu a escadaria, Gaspar estava somente a uns dez metros atrás dela. Um grupo de pessoas participava de alguma cerimônia na nave da igreja, mas, pela velocidade que corria Clarice, ninguém reparou nela. Chegou nas "benditas" escadas de madeira que levavam às torres. Tinha esperança de manter Gaspar e o outro afastados por não conseguirem subi-las ou se ferirem seriamente antes de chegarem ao alto. O estado das escadas estava ainda pior do que da última vez. Temia Josino, mas pensaria nele depois, se o encontrasse. A única vantagem que tinha era a de lembrar, pelo menos em parte, de quais degraus podiam ser pisados para que não se estatelasse no chão. Era uma esperança um tanto vã, mas repetia para si mesma que, naquela situação, uma ideia fraca era melhor do que nenhuma.

Chegou à parte mais alta da torre quase sem levar nenhum escorregão. No pequeno espaço que havia lá, procurou ficar o mais longe possível da entrada vinda das escadas. Ouviu três ou quatro vezes o som de madeira quebrando e de Gaspar xingando alto. Temia que o irmão se machucasse em alguma queda, mas, àquela altura, esse risco era um mal necessário. Sua leveza e tamanho a tinham ajudado novamente, fazendo-a chegar incólume ao alto da torre.

Infelizmente, após alguns minutos de silêncio, Clarice viu Gustavo ser arremessado pela abertura que dava para a escada, caindo como pôde sobre o piso de madeira empoeirada. Logo atrás, surgiram Gaspar e o Minotauro de face deformada. Rapidamente, Clarice teve o Artefato tirado de suas mãos por Gaspar.

– Vocês não precisam mais de nós! – gritou ela.
– Peguem o que querem e vão embora!

Gaspar parecia estar se divertindo com tudo aquilo.

— Vocês ainda têm muita utilidade para mim! Não pretendo ficar como o meu amigo Minotauro aqui! – disse Gaspar, aos berros, apontando para o outro. – Pegue os Artefatos – continuou, usando a Voz com Gustavo.

Gustavo, como um autômato, pegou os dois Artefatos da mão de Gaspar e o terceiro do outro homem e esperou nova ordem.

— Encaixe-os e faça-os funcionar.

Obedientemente, Gustavo passou a manipular os Artefatos.

— Se você e o Alexandre estavam do mesmo lado o tempo todo, por que discutiam tanto? – perguntou Clarice, procurando encontrar alguma luz naquela confusão toda.

— Vocês se acham muito espertos, mas nunca entenderam nada do que estava acontecendo. Nós nunca estivemos do mesmo lado. Ele esteve sempre contra mim, só não sabia quão comprometido eu já estava com a ideia de me apropriar dos Artefatos.

— Mas e a frase que o Alexandre disse no primeiro dia que chegamos à sede: "Historicamente, somente ele (o Guardião) pode manipular os Artefatos sem ser corrompido, apesar de eu discordar disso".

– Vocês não entenderam nada, mesmo. Alexandre pensava exatamente isso, mas vocês o interpretaram mal. Ele não achava que outras pessoas também podiam manipular os Artefatos sem serem corrompidas e, sim, que nem mesmo o Guardião poderia fazer isso sem que fosse afetado. Ele não queria os Artefatos, mas achava que nem mesmo o Guardião deveria ter acesso fácil a eles. Era disso que ele discordava. Eu é que achava que podíamos manipular os Artefatos sem sermos Guardiões. Felizmente, ele pensava que eu fazia discussões somente no campo teórico. Só entendeu, parcialmente, o que estava acontecendo depois do que ocorreu com Ben Hur.

– Mas ele também atacou Ben Hur!

– Ele tentou salvá-lo! Fui eu quem atacou Ben Hur. Não podia deixá-lo vivo, o rapaz estava muito próximo e interessado em vocês, atrapalharia meus planos ter alguém tão protetor por perto. Se dependesse somente do que eu fiz, Ben Hur não teria sobrevivido. Graças a ele, Ben Hur teve a ajuda de um perigoso contraveneno e sobreviveu até agora, mas pelo menos, assim como seu outro amigo Jethro, ficou impossibilitado de prestar qualquer ajuda a vocês, e Alexandre ainda recebeu a culpa por tudo.

– Mas se você acredita que outras pessoas podem manipular os Artefatos sem se corromper, por que ainda precisa de nós?

– Se alguém aqui vai se arriscar não serei eu! Melhor deixar o Guardião mexer com os Artefatos até que eu ache seguro ficar com eles. Mas, ao contrário da neutralização, eu quero é desfrutar de todo o poder que eles podem me trazer. A Ordem dos Centauros amoleceu muito nestes últimos anos e eu não quero destruir a Ordem, quero é que ela se fortaleça e tome o lugar que realmente merece neste mundo.

De súbito uma luz começou a emanar dos Artefatos, agora encaixados por Gustavo. Formavam um disco de pedra perfeito com diâmetro aproximado de dez centímetros, de uma cor brilhante, indefinida entre o azul e o verde. Mesmo para quem olhasse de perto, não se poderiam mais ver linhas divisórias entre os Artefatos. Eram novamente um só objeto.

– Muito bom! – disse Gaspar. – Faça-o mostrar seu verdadeiro poder!

Gustavo, ainda sob domínio de Gaspar, fechou os olhos e começou a se concentrar. A luz, do agora único Artefato, passou a se intensificar gradualmente.

Clarice estava mais assustada do que nunca e, novamente, não sabia o que fazer. Sentia-se como no outro dia quando ficou paralisada diante da figura violenta e assustadora de Josino, mas agora não tinha ninguém para socorrê-la. *Diante da atual situação*, pensou ela, *até mesmo Josino pareceria simpático*. De repente, uma ideia brotou na mente aguçada de Clarice, que imediatamente resolveu colocá-la em prática.

– Eu não acredito em vocês! Josino não é culpado! Não foi ele quem andou desviando o material da obra! Josino é uma ótima pessoa! – gritava ela, em direção aos dois Minotauros.

Os dois olharam atônitos para a moça, pensaram que a tensão a havia deixado meio fora do ar. Quando Gaspar percebeu o que Clarice estava tentando fazer, já era tarde demais. Josino apareceu com toda a sua fúria.

– É verdade! Sou gente boa! Vocês não vão me maltratar de novo! – e dizendo isso avançou em direção a Gaspar. O Minotauro que o acompanhava, em vez de procurar falar calmamente com Josino como havia feito Jethro da outra vez e como agora começava a fazer Gaspar, reagiu rápida e violentamente e tentou interceptar Josino usando sua força física, mesmo diante do "não" gritado, tardiamente, por Gaspar. Clarice levantou-se e pulou em cima do irmão, tirando-o do caminho. Josino, juntamente com os dois Minotauros, após lutarem por alguns segundos, despencaram do alto da torre da igreja.

Gustavo despertou do domínio de Gaspar e, juntamente com a irmã, olhou para o resultado da queda dos Minotauros. Não era uma coisa bonita de se ver. Seus corpos jaziam com filetes de sangue escorrendo de várias partes, e alguns membros formavam ângulos estranhos em relação ao corpo. Duas ou três pessoas já se juntavam em torno dos corpos. Atrás deles, Clarice e Gustavo ouviram a voz de Josino dizendo: "Justiça foi feita! Agora posso descansar". Quando se voltaram, estavam sozinhos. Josino havia sumido, mas o Artefato ainda estava com eles, no mesmo lugar onde Gustavo o havia deixado. E a intensidade do brilho continuava a aumentar perigosamente.

– E agora? O que fazemos? – perguntou Clarice, quase gritando.

– Temos que fazer a neutralização! Sei lá o que pode acontecer com esse troço agora que tentei ativá-lo em vez de neutralizá-lo. Ainda é minha responsabilidade! Durante esse tempo que fiquei segurando o Artefato, aprendi algumas coisas. Já sei de um dos locais onde "as mentes são iluminadas".

– Então vamos logo, antes que alguém resolva vir aqui em cima descobrir como aqueles dois infelizes caíram lá embaixo!

Gustavo agarrou o Artefato, meteu-o na maleta e, antes que se dessem conta, estavam descendo a escadaria das Dores. Procuraram nem olhar para os corpos, mas teriam que driblar a multidão e o pessoal da Brigada Militar que começava a chegar.

Gustavo e Clarice rumavam apressadamente de volta à Praça da Alfândega. Em cinco minutos, chegaram ao local e foram para um dos pontos mais movimentados da Feira do Livro. Gustavo escolheu justamente o local onde se encontrava a estátua de Mario Quintana "conversando" com a de Carlos Drummond de Andrade. O Guardião retirou o Artefato da maleta e disse:

– Aqui é o local onde as mentes são iluminadas.

Nesse meio tempo, meia dúzia de Minotauros, que haviam perdido a pista dos dois quando saíram correndo da praça, apareceram, vindo na direção deles com cara de poucos amigos. *Eu não aguento mais*, pensou Clarice, desesperada. *O que mais nós vamos ter que passar por causa dessa pedra maldita?*

Os irmãos encolheram-se diante da chegada dos Minotauros. Gustavo procurou concentrar-se para realizar a tal neutralização de acordo com o que havia aprendido momentos atrás ao entrar em contato com o Artefato. Antes que chegassem perto de Clarice, a menina olhou para o lado e viu um antigo inimigo quase encostando nela; antes que pudesse reagir, Touro empurrou-a para o lado com força. *De novo ele*, pensou Clarice. Mas, para sua surpresa, em vez de ir em sua direção, postou-se na sua frente impedindo a chegada dos Minotauros. Em pouco tempo formou-se a confusão; Touro, sozinho, impediu o avanço dos outros homens. Diante da briga, a multidão que frequentava a feira procurou manter certa distância, a não ser por um ou outro que apreciava aquele tipo de espetáculo. Brigadianos foram chegando e tentando colocar ordem no tumulto. Ao perceberem a chegada da polícia, os Minotauros que conseguiram permanecer em pé desapareceram. Dois deles, ao tentarem chegar até Gustavo, haviam ficado desacordados, caídos sobre ele após a intervenção de Touro. O teto de uma das bancas da feira também tinha caído sobre o rapaz no meio daquela confusão toda. Jethro, que havia tomado parte na briga, ainda que bem mais discretamente que Touro, foi correndo até o Guardião. Juntamente com Clarice, muito nervosa diante da possibilidade de o irmão estar machucado de alguma forma, foi tirando os destroços da banca e os corpos dos Minotauros desfalecidos daquela massa de gente e telhas. Ao removerem o segundo corpo, e após alguns segundos de tensão, Gustavo levantou a cabeça, toda empoeirada; seu rosto mostrava alguém abatido até o limite das forças. Mesmo assim, disse, animadamente:

– Acho que deu certo!

A pedra que Gustavo tinha nas mãos era agora um mero pedaço de rocha sem graça ou beleza, serviria apenas como peso de papel. Conseguiram, ainda, ver um último fio de luz que se apagava dentro do objeto. Clarice reparou que no olho direito do irmão, antes completamente castanho-

-claro, aparecia, agora, uma faixa azul na íris, como se fosse um raio de sol azulado cristalizado no momento da neutralização.

Era o fim dos Artefatos.

Séculos de história se encerravam naquele momento.

20
APÓS BAIXAR A POEIRA

A enfermaria nunca fora tão concorrida. Não havia quem não necessitasse de algum tipo de cuidado médico. Escoriações, hematomas, um ou outro braço quebrado, tornozelos torcidos na escuridão da sede. Quase nada que não pudesse ser resolvido rapidamente. Ben Hur e Clarice, os maiores usuários da enfermaria nas últimas semanas, nem apareceram por lá. Com exceção de dois feridos a bala, que necessitaram de mais tempo sob observação, todos foram dispensados de permanecer no local. Gustavo ficou um pouco mais e fez uma tomografia para ter certeza de que não havia se machucado com o telhado da barraca que caiu na sua cabeça ou que não havia sofrido nenhum tipo de alteração mental devido ao contato intenso com o Artefato unificado. Nada foi constatado. Como estava se sentindo bem, apesar de cansado, Gustavo respondeu a uma série de perguntas para o relatório que estava sendo preparado para a liderança remanescente da sede. Além dele, todos os envolvidos nos acontecimentos dos últimos dias precisaram relatar minuciosamente suas participações. O historiador da sede sorria, satisfeito por escrever a história dos Centauros e colocar seu nome junto dela. Como o episódio dos Artefatos já havia sido superado e eles não representavam mais nenhum risco, toda a história foi amplamente divulgada. Gustavo e Clarice tornaram-se quase instantaneamente celebridades dentro da sede. Tiveram que repetir toda a aventura várias vezes. Gustavo procurava diminuir sua importância nos acontecimentos, ao passo que Clarice exagerava sua participação sempre que podia. De qualquer forma, ela bem que merecia todos os elogios que recebia. A pequena havia sido a principal responsável pelas coisas terem transcorrido daquela maneira vitoriosa.

Já se passara muito tempo desde que haviam dado alguma satisfação à tia Alba. Mesmo porque, no dia seguinte à neutralização, a supertia apareceu, não se sabe como, em uma das entradas da sede que ficavam na superfície cobrando o paradeiro dos irmãos de um porteiro que pouco sabia, mas que estava visivelmente amedrontado com aquela mulher pequena em estatura, mas grande em ameaças. Quando souberam do ocorrido, os irmãos trataram logo de voltar à casa da "dona Alba", como o porteiro passou a chamá-la nos poucos momentos em que insistiu veementemente com a nova dupla de Centauros para que a atendessem. Dessa vez nem mesmo os famosos sorrisos e a lábia de Clarice foram suficientes para justificar as escoriações dos irmãos e, principalmente, o olho novo de Gustavo. Tia Alba colocou-os de castigo, mas como não tinha vocação para tia megera, logo os liberou sob a promessa de, em um futuro breve, fornecerem melhores explicações.

Informalmente, dois dias depois de passados os acontecimentos, os personagens principais da aventura encontraram-se em um jantar em uma das salas privativas da sede. Precisavam colocar em dia os detalhes da história. Não queriam esperar até que o Centauro historiador concluísse o relatório contando a versão oficial da neutralização dos Artefatos. Cada um conhecia a sua parte, mas queriam saber como os amigos haviam resolvido os seus desafios pessoais para conseguirem colaborar com o fim daquele perigoso capítulo da vida dos Centauros.

Participaram Gustavo e Clarice, obviamente, e Jethro e Ben Hur. Clarice e Ben Hur sentaram-se lado a lado e trocaram discretos olhares a noite toda, diante do riso contido de Gustavo. Rayud apareceu como um convidado especial. E, para surpresa de todos, especialmente de Clarice, Touro também foi ao jantar a pedido de Jethro. Felizmente, era outro Touro, com um aspecto bem mais humano. Ainda apresentava alguma alteração no entendimento da realidade, por vezes portava-se como uma criança, mas havia se livrado do domínio dos Minotauros e era, agora, um bom amigo de Jethro. Foi o primeiro a relatar sua participação no caso todo, ou melhor, Jethro foi quem contou a história dele.

– Após Ben Hur trazer o Touro aqui para nossa sede, ele teve que ficar isolado na enfermaria da detenção, que, como vocês sabem, fica um andar abaixo e é composta por celas individuais. Touro tinha sido submetido a algumas experiências dos Minotauros e era mantido sob controle deles por meio de drogas fortíssimas. Após conseguirmos limpar o organismo dele desses medicamentos nocivos, foi preciso ajudá-lo a se reerguer. Ele havia se transformado, praticamente, em um animal. Com o acompanhamento contínuo por parte da equipe médica, descobrimos que ele não tinha, verdadeiramente, más intenções. Tomou algumas decisões erradas e não soube voltar atrás. Tivemos que recomeçar a reconstruí-lo como pessoa. Descobri a sua predileção gastronômica por sanduíches de atum e desenvolvi uma amizade com ele levando todo dia um ou dois desses sanduíches junto com um pouco de conversa e conselhos. Foi graças a isso que o Touro me encontrou quando fui enganado e aprisionado por Gaspar. Podemos dizer que ele me encontrou pelo cheiro! – todos riram nessa parte. – Atualmente, Touro não representa mais nenhum risco para nós, ele demonstrou isso em sua participação na neutralização. E já foi até liberado da detenção. Ainda está numa fase um pouco primária dessa sua reconstrução, mas, aos poucos, está conseguindo reassumir sua verdadeira personalidade.

– Como vocês conseguiram nos encontrar? – perguntou Clarice.

Desta vez o próprio Touro respondeu, timidamente, enquanto levava a mão à batata da perna.

— Depois que a menina mordeu o Touro, o cheiro dela ficou impregnado na pele do Touro, e o Touro tem olfato bom.

— Ou seja, irmãzinha, ele te encontrou também pelo cheiro, e você nem estava coberta de atum! — todos riram novamente.

Outros contaram suas participações. Ben Hur falou dos dias na cama e dos pensamentos que tinha quando conseguia ficar consciente. Falou do ataque de Gaspar e da tentativa de Alexandre de salvá-lo e de esclarecer quem era o traidor.

Clarice contou, de forma épica, todas as coisas que fez desde que Ben Hur entrou em sua casa pela primeira vez. Todos os episódios trágicos e problemáticos ficaram engraçados quando narrados pela jovem. Ao fim da narração, foi aplaudida de pé por todos.

Jethro preencheu algumas lacunas ao relatar o encontro com o homem da cabeça raspada no refeitório, antes da neutralização, e novamente, assim que pôde, confirmou a inocência de Alexandre. Ele podia ser mal-humorado e um pouco antipático, mas não era traidor. Na verdade, à luz dessas novas informações, havia sido um herói e dado a vida pela Ordem. Fizeram um brinde a ele e um pedido de desculpas em voz alta, ainda que ele não estivesse ali para ouvi-lo. Como Jethro já havia previsto antes, a Ordem sofreu profundas mudanças no desenrolar do episódio: conceitos teriam que ser revistos, alguns receberam confiança demais, outros foram julgados prematura e duramente; mas uma coisa era certa, o resultado havia fortalecido a Ordem e revelado, em todos os níveis e setores, líderes melhores e mais capazes do que os que existiam até então.

***

— O meu tempo está passando, mesmo! Espero que esta próxima geração continue fazendo as engrenagens da nossa Ordem se moverem. Além do mais, depois que Clarice acabou com o meu principal informante espectro e fez com que eu gastasse todos os favores que acumulei durante anos com a polícia e a imprensa para não ter a história das mortes na Igreja das Dores e da briga na Feira do Livro divulgadas, não vejo que contribuição um sexagenário como eu poderia continuar dando à Ordem — disse Jethro, fingindo aborrecimento.

— Pare com isso, Jethro! — disse a jovem. — Sessenta anos hoje em dia é apenas o começo da maturidade. Você nos deu um banho de saúde e disposição nessas últimas semanas e ainda tem muito o que fazer.

Jethro ficou todo garboso por ter conseguido os elogios que desejava.

E então se viraram para Gustavo.

Estavam curiosos para saber mais a respeito do contato do Guardião com o Artefato. Mesmo um pouco contrariado por ser o centro das atenções, relatou o melhor que pôde essa parte da aventura.

— Acho que, mesmo sem saber, Gaspar me ensinou como fazer a neutralização. Ao me colocar naquele contato forçado com o Artefato, acabei obtendo informações que não teria acesso de outra forma. Nos momentos em que segurei o Artefato unificado, ele falou comigo.

— Pronto! — cortou Clarice. — Não bastava tudo o que o meu irmão passou, no final ainda deu para conversar com uma pedra. Esse guri conta cada coisa!

— Psiuuu! — fizeram todos.

— Não foi uma conversa assim, como nós estamos tendo — continuou Gustavo —, não era em palavras, mas entendi que ele era uma entidade viva e que ansiava por uma libertação através do que nós chamávamos de neutralização. Foi um contato muito intenso e exaustivo. Acho que a ideia era de que, com a separação do Artefato em três partes, essa entidade passasse a se sentir incompleta e espiritualmente perturbada, o que gerou tanto os efeitos benéficos quanto os maléficos dos três Artefatos. Disse também que era um ser muito antigo e que somente alguém com origem na mesma época de sua criação é que poderia ajudá-lo a ser libertado. Os Guardiões carregavam na sua "vibração" a informação dessa capacidade. Quando Gaspar me forçou a fazer um uso errado do Artefato, a entidade ficou furiosa e prestes a explodir, mesmo quando o controle de Gaspar parou de agir sobre mim; teria sido muito mais fácil ceder ao poder que o Artefato representava, mas consegui resistir à tentação e, quando ela entendeu minha intenção, prontamente me auxiliou a realizá-la. Se tivéssemos ficado na Praça da Alfândega assim que retiramos o Artefato Maior, tudo teria sido mais simples. Já estávamos no lugar certo. A entidade precisava que certa quantidade de energia, do mesmo tipo presente em lugares como uma Feira do

Livro, estivesse disponível para que ela pudesse ser libertada. Infelizmente, a libertação da entidade veio por meio de sua morte. E foi isso, mais ou menos, o que aconteceu. Aos poucos, estou entendendo melhor o que aprendi naqueles momentos e espero poder dar uma explicação mais completa no futuro. Foi assim que ganhei esse olho estranho.

– E muito charmoso! – completou Clarice.

– Por hora a tua explicação está mais do que boa, Gustavo. Sei que no futuro todos iremos entender melhor esse espisódio – disse Rayud, e continuou: – Se me permitem dispor de um tempo, antes de passarmos para o jantar propriamente dito, fui encarregado de passar-lhes algumas informações. Em primeiro lugar, quero anunciar que serei, pelo menos temporariamente, o novo diretor do Núcleo Porto Alegre 1 – nesse momento não houve quem não sorrisse abertamente de satisfação. – E como meu primeiro ato como novo diretor do Núcleo, quero passar às mãos de vocês as cartas/certificados que merecem.

Com certa dose de cerimônia, Rayud foi retirando as cartas de um luxuoso estojo de couro e entregando-as a quem as merecia.

Todos, inclusive Touro, receberam a carta Neutralização, sendo que ele recebeu também a carta de Centauro. Lágrimas e silêncio marcaram aquele momento.

Outra entrega que trouxe lágrimas aos olhos de todos foi quando Jethro recebeu a carta da Neutralização. Há décadas ele esperava receber aquele certificado de que havia cumprido sua principal missão com a Ordem e, finalmente, estava ali o coroamento de toda uma vida de dedicação ao trabalho e ao propósito de livrar o mundo da ameaça dos Artefatos.

Mas logo o clima de descontração prevaleceu, uma animada conversação se desenvolveu e sobraram sorrisos e boas histórias para contar.

Em poucas semanas, a vida de todos havia se alterado. Clarice e Gustavo haviam passado pelo estágio na Ordem e resolveram se efetivar como membros.

O futuro não lhes prometia descanso. Trabalho duro os esperava e eles sabiam disso. Muitas outras aventuras viriam pela frente, trazendo novos desafios. E, com o final das férias, precisariam conciliar tudo aquilo com as aulas da escola e do cursinho.

Mas de tudo o que havia acontecido, de todas as conquistas que haviam realizado, o que mais fez Gustavo feliz foi a pequena vitória de ver que Clarice tinha aprendido a lidar com seu detestável mau humor crônico.

Pelo menos até o próximo desafio.